清 陳鏡伊編

道德叢書 之十三

富室珍言

上編 善例六十九則
下編 惡例五十二則

世界書局

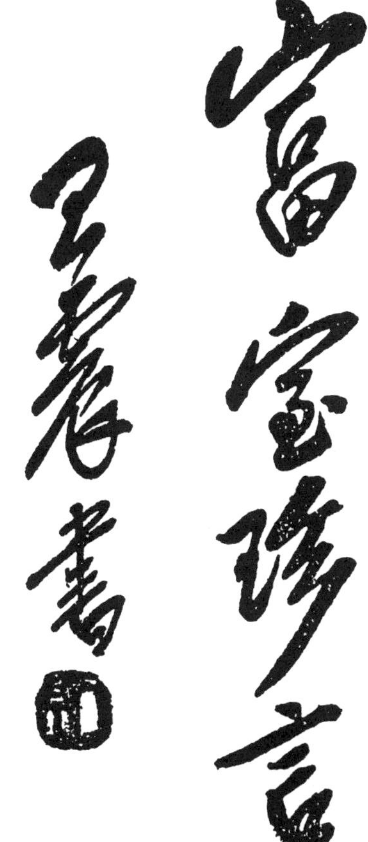
富室珍言

富室珍言　道德叢書之十三

江蘇海門陳鏡伊編

目錄

無利借貸　出粟貸鄉

(三) 收租

蠲免田租

(四) 周濟

半產賑鄉　半產濟人
餘產濟人　餘財濟貧
餘財周濟　罄產贍鄉
散產周施　省財施與
周給親舊　給貧養族
貸納貧稅　望煙周濟
散米給貧　收養貧病

下編　惡例

富室珍言

道德叢書之十三

江蘇海門陳鏡伊編

上編　善例

（一）置產

時價贖田

麻城縣一縉紳積貲千金將贖二十年前所賣之產子方十二歲知之問父「得吾之產者共幾家」父曰「約二十餘家」又問「彼家得業後所費幾何」父復以中席雜費告之子乃徐言曰「如是贖來彼家喫虧甚矣縱使贖歸必傷陰德且吾有銀何患無田必欲爭取二十餘家養命之產也況小家之置產也難吾家

之得田也易縱使彼家卽以原銀置田畝數止存一半矧銀錢到手易於花費乎」父默然良久乃云「吾兒所言甚是有理但墓傍之田一十八畝定當取贖以供祭掃餘則不必矣」子曰「審如是當以時價平買不必向之言取贖父亦從之由是鄉人感激常在猛將小祠中禱祝後其子十八歲卽聯捷以部司擢嚴州守一日騎馬過橋馬躍渡河忽見空中猛將手扶端坐橋傍方悟向來鄉人禱祝所感後享年至八旬有餘【按】契贖田其理甚正似亦無損於人乃以如此弱齡而能推見至隱乃爾宜其神人交敬福壽兼隆也

厚道置產

丁淸惠公厚德事甚多置產必詳訪來歷。有兄弟交爭。親戚相奪。子盜父業。奴佔主產者。必爲諭解使其相安。其確係己產。勢所必賣者。方與成交。銀必足色。一并交足。常語人曰：『人生佔不得一分便宜。況置產棄產。苦樂大不相同。須曲體之。』三年後有求加者。必應其請曰：『范文正公三送三買田地。吾愧不能效法前賢。何忍求而不應也。』買一房屋。原主竊去裝修。公曰：『吾正欲易以新者。』有一門生好刻薄謀產。公貽書曰：『財產貽與子孫。須得諸光明。待之寬厚。方得久遠。若以產業為寃家。非惟為子孫作馬牛。直為子孫作蛇蝎耳。』復戒以詩曰：一派青山景色幽。前人田地後人收。後人收得休歡喜。還有收人在後頭。

焚券還屋

孫泰有姨將死。以二女託曰：『姊損一目。汝取其妹。』姨死。泰嫁其妹。娶其姊。嘗買一銕燈臺。歸而磨洗。乃銀也。送還之。又嘗用錢二百緡。置一別墅。將遷入。聞老嫗哭聲。問之。曰：「舊居相戀已久。一旦爲他人得。故悲耳」。泰卽取券焚之。不索其直。古人不肯奪人之好如此。彼奪人之好者。能安然常享耶。

（二）放債

借券悉焚

上海朱錦先世素封。值歲歉。取里中借券悉焚之。家遂中落。錦早登鄉榜。三困公車。里中有有夫之女。賣身爲娼。朱不惜重價爲之合鏡。順治已亥會試。求關帝籤。有和合婚姻。得貴兒之句。遂中會元。

文劵悉焚

南宋顧覬之爲山陰劇邑。御繁以約。務簡而事理。子綽私財甚豐。鄉里多負債。覬之禁不能止。後爲吳郡。誘出文劵一大櫥。悉焚之。宣語遠近。皆不須還。覬之嘗執命有定分。非智力所移。唯恭己守道。信天任運。而闇者不達。妄意僥倖。徒虧雅道。無關得喪。乃以其意。命弟子願作「定命論」。

取劵盡焚

溧陽任南原樂善好施。明天啓時。大荒。出米數千石以貸鄉里貧人。廩蓋一空。自食粥。次年秋。人勸其索償。公曰：「貧人經大荒後今稍甦。不忍逼索。遂取劵盡焚之」。曾孫蘭枝榜眼。元孫端書探花。

燔劵了債

隋李士謙家富于財。躬處節儉。以振施爲務。州里有喪事不辦者。隨乏供濟。有兄弟分財不均。至相鬩訟。士謙出財補其少者。兄弟愧懼。更相推讓。卒爲善士。出穀數千石。以貸鄉人。値年穀不登。債家無以償。皆來致謝。謙曰：「吾家餘粟。本圖振贍。豈求利哉」。悉召債家。爲設酒食。對之燔契曰：「債了矣。幸勿爲念也」。他年又大饑。謙罄家資爲糜粥。賴以全活者萬計。至春又出糧種。給貧乏之趙郡民德之。死之日。全郡士女聞之。莫不流涕。會葬者萬餘人。

無利借貸

浙江烏程方禹闓家不甚富。値歲饑。貧族二十餘家。不能全活。禹闓乃捐貲發工。倡修坟屋。募族中富者助貲。令貧者助力。仍給工

食又自貸銀二十兩分給貧族作負販俟歲豐償本不責其利亦權宜賑急之一法

出粟貸鄉

李士謙爲開封參軍家頗饒値歲饑出粟千擔貸鄉人明年又饑公復竭貲設粥以濟了無倦色或曰：「子陰德大矣」公曰：「陰德猶耳鳴已自知之人無知者今子已知何足爲德」謙壽百歲子孫顯宦

（三）收租

蠲免田租

常熟徐鳳竹其父素富偶遇年荒先蠲租以爲同邑之倡又分穀

以賑貧之夜聞鬼唱於門曰「千不誆萬不誆徐家秀才做到了舉人郎」相續而呼連夜不斷是歲鳳竹果舉於鄉其父因而益積德孳孳不怠修橋修路濟貧接衆凡有利益無不盡心後又聞鬼唱於門曰「千不誆萬不誆徐家舉人直做到都堂」鳳竹官終兩浙巡撫

（四）周濟

半產賑鄉

福山王公樂善好施明崇正辛巳山東大飢公分家財之半煮粥以賑鄉里柴薪竭撤屋材以佐之全活甚衆福山西北鄉逋賦數千金追比無所出皆爲代完又諸社欠兵米千餘石軍檄星馳

而野殍載路。邑令吳公無所措。公慨然助米如數。事訖將徵還。公曰：「饑饉若此。安所得米。吾憐此里社之復死。追乎且先後等死也。非吾初心。請盡捐之。」吳公嘆書數語贈曰：「國課虧矣。賴爾輸。完民生鮮矣。賴爾安。全爵爾所羞。祿爾所慚。天道福善。報爾燕山。」後以子大司晨貴。贈如其官。壽八十有二。

半產濟人

南溪梅光遠少時本貧。壯年起家。已成富室。有子有孫。人爭羨之。而光遠矻矻若有憂者。千足萬足。心終不足。終日攢眉。真活地獄。蔣道林謂之曰：「人謂子復何憂。予謂不然。人未有無憂者。如子之起家。日進月增。而或未必常保如是也。能無憂乎。如子之嗣君。非不翩翩成立。而或一旦無所倚賴。以致落人後也。能無憂乎。」光遠曰：「先生真得我心者。』道林曰：『子謂子之憂有益乎。無益乎。且子見富者果有常繼。而子孫之日後。爲祖父者果能主持之終身乎。兒孫自有兒孫福。莫爲兒孫作馬牛吾謂子之憂更有甚切而不可已者子獨不憂夫兩脚直乎。富貴草頭露。人生瓦上霜。至兩脚直之時。萬般拿不去矣。生前枉費心千萬。死後空持手一雙。夫萬般拿不去。惟有孽隨身。則可憂何如也。子今日有田有廬有妻子僕從。視夫貧窮子立者。眞不啻霄壤。只須設身處於貧窮子立之地。則脫灑之樂自出。進一步想。有此而少彼。退一步想。則寬然有餘。有號呼盼望而無能爲力者。妻孥愛惜。無計留君。骨肉滿前。有誰替汝。是其憂固甚切而莫可釋者也。盍亦乘此得爲之時。而早爲之地。昔人云但求無孽障隨身。無病苦而死。則大願也。子年且老矣。可不切切亟用心於此哉。』光遠聞言。大有醒悟。既而得感應篇。至誠信奉。以半產授子存半以爲濟人種德之資。（善哉半積陰功。半作家貲。此眞千古保家第一妙訣。）每有所爲。輒欣然自樂。臨終日沐浴衣冠端坐召子孫羅立諭之曰：『吾賴蔣先生之言數年以來有樂無憂今益覺有得力爲告爾等（以性命之言遺子孫。勝遺財產萬倍。）做人切須斬絕貪念（廈屋萬間。容膝不過斗室。山田千頃。埋骨止須一坵。）惟貪則病惟貪則嗔纏繞焚燒終身苦海（禍莫大於不知足。）貪心一除無邊受用（知足常樂）我曾實用功來汝等各自勉之（性命猶如風燭。形軀暫寄塵寰。當思身後之身。休造孽中之孽。）

餘產濟人

竇燕山三十無嗣。家頗殷富。一夕夢其祖父謂曰：『汝命無子壽且不久。及早修德。倘可回天。』由是感悟乃散財積德每年量所入。除一家布衣蔬食外。餘俱以濟人善功累累集益難載行之數年。又夢其祖父曰：『汝陰功浩大。上天增汝福壽。又賜有貴子光

大吾門』是年即生長子儀與儼雙生後狀元及第接生侃侀倍皆
大貴時稱五桂齊芳

餘財濟貧

乾隆辛巳豫省黃河潰決陸地水深丈餘民間廬舍半被淹沒陳留縣有曹姓者居宅沉沒已三晝夜咸謂無生理矣非洪水殺人不見曹氏之奇。非洪水殺人。亦不見天道之奇。及水退牆舍並未崩塌眷口亦安然無恙衆問之云『日來惟覺霧氣瀰漫不見天日初不知在水中也』有司見而異之詢其有何善行云『每年租課所入除衣食足用外盡以濟鄰里之貧乏者至今未嘗少替已歷五世百有餘年矣』盛德動天如曹氏者。可爲千古輕財一大榜樣。憲司俱賜匾額以嘉其異

餘財周濟

蘇子瑛蘇之吳江人也。父祖以清廉仕至臺省。朝欽其風。民懷其德。瑛守父訓。仕不期顯。早卽休致。居家常以週急濟貧。拯難扶困。有求卽應。應復不倦。遇歲豐。眾之所入。除自養。及贍給親族而外。卽惠及閭里。疏遠均遍。其有孤貧鰥寡老而無告者。設廬舍以居之。週歲如是。病者。爲之湯藥。醫餌。止其處者。如登春臺。遭逢凶歲。尤加致意。每歲秋將寒凍。親族閭里。貧而無衣者。量其長短小大成。親爲之衣。又每於市肆。撥拾殘綿破襖。補葺加絮。潔淨以給道路寒凍者。而家人婦子。同心一德。爲之應辦。遠近翕然。稱蘇長者。家世益隆。子蘇哲。殿試第二。以檢討明斷獄訟。所至豪强遁跡。薦賢除暴。化貪墨爲廉謹。出滯獄。讞囚無寃。刑民稱神君。次子熹成進士。四子舉於鄉。文爲世所重。孫十八人。成進士者九人。

罄產贍鄉

南史張進之家世富足。經荒年。散財救贍鄉里。遂以貧罄。全濟者甚多。太守王味之當見收。逃避進之家。供奉經時。盡其誠力。味之墮水沈沒。進之投水拯救。相與沉淪。久而得免。時刼掠充斥。到進之門。輒相約勒。不得侵犯。其信義所感如此。

散產周施

漢折像父有貲財二百萬。像幼有仁心。通易理。及父卒。感多藏厚亡之義。乃散貲產。周施親疏。或曰：「君三男兩女。孫息盈前。當增益產業。何爲自竭乎。」像曰：「鬬子文有言。我乃逃禍。非避富也。吾門殖財已久。不仁而富。謂之不幸。牆隙而高。其崩必疾也。」聞者咸服焉。

省財施與

廣西丁光昌家巨富。衣食甘淡泊。婚嫁不奢侈。其妻曰：「爾不知享福。要財何用」。昌曰「吾看破世間苦人甚多。衣食不給。婚嫁不能者。目下不知凡幾。（我飽我煖。當思人飢人寒。我逸我安。當思人勞人苦。）吾有何德。安享自然之福乎。但念現在之福。能惜將來之福自長。將所省儉之財。（儉之一字可以惜福。可以種德。）先恤宗親。後施鄉黨。強為善而已矣。吾夜分每至三鼓不寐者。蓋謂此也」。後子孫繁衍。竟成文武世家。

周給親舊

崔鄙家不藏貲。有輒周給親舊。男女未婚。死者未葬。皆為營辦。五子皆達宦。鄉人榜其里曰：「德星」。

給貧養族

鎮海朱文賓好施予。有族婦王氏新寡。將挈遺孤改適。且有期矣。文賓勸止之。給資以養其子母。二十年後。有盜刦文賓宅。恍有持械遶護者。遂駭走。

代納貧稅

懷仁縣楊秀才妻劉氏。蚤寡。家甚富。聞官司督貧戶稅過嚴。乃詣縣。願以家財十萬緡納官。免貧戶稅。遂空其屋三間。三晝夜錢復滿。上有木牌曰：「麻青」。觀者駭異。或曰：「青州有麻氏大富。或其家物也。」跡之果然。謂積三世錢。一夕失去。劉即專人詣麻。請復歸之。麻曰：「吾家福退。錢歸有德。今復往取。違天逆理。」劉曰：「我既輸官。豈宜更有。」乃盡施貧人。而家日益富。有孫登第。

望煙周濟

海寗陳氏先人。富而好施。嘗建高樓。每午刻。登樓四望。見里黨有不舉火者。使人以粟周之。遇疫時開局施藥。施棺置義冢地數百畝。一生樂善不倦。晚年遇異人指以葬地。科甲鵲起。累代中堂。至今爲望族。

散米給貧

全琮錢塘人。父好積聚。嘗使琮齎米往吳市易。吳荒旱。琮將米散給貧民。空舟而返。父責之。琮對曰「兒以所利非急。而吳民方有倒懸之難。因便賑給。不及啓也」父大喜。私異其子。後琮仕吳。封錢塘侯。

收養貧病

張奇好善樂施。偶出見一道人負病臥路旁汚穢中。邀歸養之。病愈求去且云『前寄二十金今當還我』張妻知其誑也少以釵環相贈道人必欲如數張竟與之絕不自悔後張有子繫獄將刑吏急索二十金爲免死張倉卒無及忽一人自旁出代付之子得免熟視其人卽前道人也

納養產婦

明李凝家貧好善時平陽耿廉械送京師有妻同行欲產人以不祥莫肯納臥於草間凝曰『人孰無緩急何必以人爲忌哉倘爲風露所感則母子俱不能生我寧留入而受不祥』因留入室給之饘粥後凝家非惟無災抑且獲福宋濂高其行爲之傳

拯救貧產

嚴世期山陰人同里張邁等三人妻各產子時歲饑邁等慮不相

存。世期聞之。馳往拯救。分食解衣。以贍其乏。三子並得長成。宋史

（五）暗濟

暗中濟貧

平湖張誠于園內造石山。時歲暮。一匠憂形于色。曰：『安得錢三十千。完債過年乎。』誠潛出三十千票。置工作處。匠拾之。喜甚。誠佯代稱慶。常以銀洋置暗處。故令人潛取。親友咸目爲癡。後其子孫均顯貴。

攜錢暗投

瞿嗣興好行陰德。値大雪。有一家凍餓不能起。公憐之。暗攜錢十千。投於窗隙而去。其家得濟。莫知所從來。又歲歉。有善人來糴穀。

受其錢五千。故應他事。遲許久方出。佯忘之曰：『汝錢十千耶。』遂倍與之。凡負販小營生。必多償其值。家人怪問之。公曰：『彼胼手胝足以求小利。養家何忍與之較耶。』享壽八十餘。無疾而終。子孫累世貴顯。

携錢暗擲

倪閃沙縣人。穎悟嗜學。好施與。每出。以錢自隨。遇貧者則擲其家。不問知否。領鄉薦。屢試不第。或誚曰：『君日濟貧。何爲屢屈。豈造物有未知耶。』閃益自奮。絕無悔心。歲大饑。道殍相枕。設糜粥濟之。活者萬計。次年赴試。里人多夢豎旗閃門上書『饘粥陰功』四字。是歲果魁天下。仕至尚書。

携錢施捨

清潘世恩祖家富業鹺。而獨不發秀。奉行感應篇中功過格為善不倦。每歲暮自中旬後。即取銀二三百兩各稱小包三五兩不等身披舊褐衣各鄉鎮行走。察其無計度歲者量給予之。人不知其為誰也。終身不倦。後二子一為翰林一為中書孫一為探花世恩弱冠狀元官宰相科名冠於三吳公嘗語人曰：『風水在心不在地。感應篇即風水書吾子孫必昌大。（不必之於地。實必之於心。）惜不能親見之耳。』（當必含笑地下。）

暗中輸錢

譚元春楚人。父嘗客襄陽舟曉發。忽聞岸上悲啼聲。急停舟問之。則里役遺失多金無以償官欲赴水死耳。譚慰之曰：『若金故不失隨取一大函畀之。』其人曰：『此非吾金安敢妄取。』譚曰：『

第將去無多言』天啓丁卯元春夢神謂曰：『宜自策勵爾父襄陽事發矣』一驚寤以告母曰『大人得無有不善事於襄陽乎』母爲具述前事是歲以解元舉於鄉

（六）全人

全人夫婦（一）

劉理順薦久未第讀書二郎廟中聞哭聲甚哀訪之乃某出外七年不歸其母年老窘極嫁媳以圖兩活得遠商十二金晚將隨去姑媳心傷離別耳劉亟回家營措適有納糧銀十餘兩亦從貿借來者卽取以封固僞作子書言近獲利五百餘金十日後卽歸先寄銀十二兩等語秘遣人送去姑媳得書銀以示遠商商取原價

而去。越十日。其子。果。歸。事。與。書。符。而不解銀信何自來。意或神明憫佑。望空拜謝而已。迨劉赴闈。廟祝見二郎。起。送。中崇禎甲戌科狀元。又相傳吳郡洞庭山有席氏。先世有諸生事與此同。其所拯者。係木匠母妻。木匠歸後。細訪知是公。詣謝不認。匠曰：『相公行陰德。不居功。小人豈可忘報。聞郎君將娶。小人親造一牀來。願郎君吉利多男。相公勿却。』後果連生數子。因以此牀公之合族。凡新。婚。皆。用。之。子孫繁盛。科第連綿。爲洞庭望族。

全人夫婦（二）

台州應尚書壯年習業山中。夜鬼嘯集。往往驚人。公不懼也。一夕聞鬼云：『某婦以夫久客不歸。翁姑逼其嫁人。明夜當縊死於此。吾得代矣。』公潛賣田得銀四兩。卽僞作其夫之書。寄銀還家。其父母見書。以手跡不類疑之。既而曰：「書可假。銀不可假。想兒無恙。」婦遂不嫁。其子後歸。夫婦相保如初。公又聞鬼語曰：「吾當得代。奈此秀才壞吾事。」傍一鬼曰：「爾何不禍之。」曰：「上帝以此人心好。命作陰德尚書矣。吾何得而禍之。」應公益自努勵善。日加修德。日加厚。遇歲饑。輒捐穀以賑之。遇親戚有急。輒委曲維持。遇有横逆。輒反躬自責。怡然順受。子孫登科第者。累累也。

浮梁載珊讀書水邊小樓。一夕聞鬼語云：「明日有一婦來溺於此。吾得代矣。」公晨候之。果一婦蓬首號泣而來。急下樓呼問之。對曰：「妾不幸。良人以飲賭罄家。逼妾為娼。我本良家子。寧溺死。無遺父母羞也。」公曰：「汝誤矣。」使家人挽留入內。少頃狂夫奔至。喘而呼妻。公責之曰：「汝何逼妻至此。即貧困。我有銀一笏助汝。」夫婦泣謝而去。是夜又聞鬼嘆曰：「酸秀才壞我事。」一鬼曰：「汝何不禍之。」曰：「上帝以此人心好命作陰德尙書矣。吾安得禍之。」後果爲都御史進尙書。

以上兩條情節相似而人名不同。茲兩存之。

全人夫婦（三）

明費文廣信人。年逾五十無子。訓蒙於楚之蒲圻。二年歸。泊舟登岸。聞婦哭甚哀。問之。曰：「夫負官鏹。將鬻妾以償。妾去。幼兒失哺必死。是以悲耳。」問負幾何。曰：「十三金。」翁曰：「吾同舟客衆。人捐一金。可完爾事。勿悲也。」返舟募于衆。皆不應。翁盡出束修以與之。距家三日。同舟鳩錢買米。翁獨無。或笑之。或憐之。招食。公不敢飽。至家語婦曰：「吾忍飢二日矣。速爲炊。」婦曰：「無米。」

翁曰：「隣家借。」婦曰：「借已多。約償以君歸。歸而復借。奈何。」翁告以故曰：「既如此。吾有慣飯山蔬在。可以暫飽。」遂攜筐採苦菜煮而共食。既就寢。翁鼾。婦念欠米無償。明晨斷炊。不寐。忽聞大聲呼曰：「今宵采苦菜作飯。明歲產狀元爲兒。」婦蹴翁曰：「此神明告我也。」同起向空拜謝。明年生子宏。十九領鄉薦。二十登成化丁未狀元。官至宰輔。

全人夫婦（四）

揚州閔象南德行素著。一日見郡中有夫婦負官債。以身償官。逐夫收婦。夫婦矢死不離。公代償其逋。夫婦仍歸完聚。公力行諸善。載郡邑志。茲所引一節耳。後年登大耋。而子孫蕃衍。科名鵲起。

全人夫婦（五）

韓琦買妾張氏。色美。帖既成。氏悲慘。琦詰之。對曰：『我修職郎郭守義妻也。部使者誣劾敗官。舉家將餓死。自鬻以活兒女。』琦惻然曰：『汝持銀歸。夫有枉。可訴於朝。事白。汝卽來。』氏諾而去。郭辨雪。復官淮右。氏踐言而至。琦拒不見。以帖包銀二十。語曰：『助汝之官。善視兒女。』氏感泣。百叩而去。後琦封公。子孫俱大貴。

全人夫婦（六）

邯鄲張翁家甚貧。未有子。常以一罏積錢。十年方罏滿。有鄰人犯徒。擬賣其妻。妻生三子俱幼。翁懼其妻去而子不能全活也。乃謀諸婦。舉所積錢代完贖銀。不足。婦復脫釵湊之。是夕夢神人抱一兒送之。遂生宏軒先生。

全人夫婦（七）

河南張雄略初婚之夕。新人痛哭不休。詰之婦曰：「我幼時父許字施某。後厭其貧。逼令退婚。重嫁于君耳。」張曰：「事已至此奈何。」婦曰：「有死而已。」曰：「不可。施某乃我好友。吾當爲汝合之。毋輕生也。」遂竟夜別寢。明晨告于父母。遣人馳召施某。借以一室令諧花燭。所有粧奩。悉以歸施。使原媒謂其父曰：「女本字施生。今歸于施。已成婚矣。若不許。便當控理。」父畏不敢言。是年張入泮。即連捷。官至宮詹。後施亦中式。生女歸張。以孝敬聞。爲友完婚。何等高誼。後來備位宮詹。娶婦孝謹。天意與人心兩合。欲占眼前便宜者。何由知此。

全人夫婦（八）

蔡崑陽德清人。康熙庚戌科狀元也。順治甲午鄉薦時。年已四旬。

倘無子。夫人私蓄三十金。爲之買妾。妾既歸房。垂泣不止。公怪問故。妾初諱言。叩之切。乃曰：『妾本有夫。因負營債。罄所有不足償。故至此。』公乘夜急往其夫家。語之曰：『是不難。我爲爾消釋此事。然我今晚勢不可歸。歸則心迹不明。』因臥其夫家。明晨營卒至。公曰：『汝輩違法。今不汝較。繳券。即付汝金。』卒亦惶遽感動。交券受金。公乃命轎舁婦還其夫。即以三十金爲贈。然後歸。嗣此夫人遂舉子。公亦登第。此全人骨肉之報。意甚周密。而報甚顯大。孰謂功名富貴。有一不從陰德中來者哉。

全人婚姻

揚州高銓。父販貨京口。客寓中。時聞息香撲鼻。一日忽見壁隙中伸進一枝。公從隙窺之。見一少女獨坐。次日公訪之主人。即其女也。問何不字人。答曰：「擇壻難耳。」數日公訪得一壻。白主人曰：「吾見高隣某郎甚佳。欲爲令愛作伐何如」曰：「吾意亦屬之。但其家甚貧。恐畢姻後不堪作家計耳」公曰：「不妨。吾當借貲與之。」是日卽爲說合。贈數十金。公歸夢神語曰：「汝本無子。今賜汝一子。讀書可命名銓。」踰年果生一子。後登進士仕至尚書

全人骨肉（一）

馮涓父中年無子。買一妾極麗。入門見其理髮。每引避。公怪問之。曰：「父嘗爲官。死而家貧。無力可歸。母乃鬻妾將爲扶柩之資。未經。卒哭。約髮者實素帛。不欲公見耳。」公聞之惻然。卽訪其母。還之。不索原錢。又資助其路費。母子拜泣而別。是夕夢一羽衣曰：「天錫汝子。慶流涓涓。」明年生子。因以涓名。鄉薦廷試皆第一。

全人骨肉（二）

曾亮布衣時。遊京師。舍於市側。旁舍泣聲甚哀。詰朝過而問之。旁舍生意慘愴。欲言而色愧。公曰：「若第言之。」生顧視左右欷歔久之。曰：「某領官於某地。以某事用官錢若干。吏督之且急。家無以償。乃謀之妻。以女鬻商人。得錢四十萬。行與之訣。此所以泣之悲也。」公曰：「商人轉徙不常。且無義。色衰愛弛。則棄爲溝中之瘠矣。孰若與我。」生曰：「但某業已書券納直。奈何。」公曰：「第償其直。索其券。彼不可。則訟於官。」生然之。公即與錢四十萬。約曰：「後三日以其女來。吾且登舟。俟君於郭門之外。」生如公言。商人果不爭。至期。攜女以往。而公之舟已去三日矣。

全人骨肉（三）

海鹽庠生王汝諧薄有田產。因糧務。熟識里書張某。張女殊色。已許字矣。有宦僕瞰之。適以張某盜用官糧事露。遂借與銀兩。勒書券上以女爲抵。逾三年索償子母。張不能應。卽欲將女畀去。張勢莫抗。正窘迫間。而汝諧往過。見其闔室號啕。惻然憫之。爲婉諭宦僕。反遭詬辱。汝諧怒曰：「欠債止須償耳。汝雖勢豪。安得奪人有夫之女耶。」宦僕曰：「渠原以女爲質。今不能償。得女何害。汝寧能代償之耶。」汝諧奮然曰：「我雖非素封。諒可勉完此事。」遂扯至家。計子母悉償之。宦僕垂首而去。張夫婦泣謝。張亦無德色。明年丙子。其子顯一遂登鄉榜。

（七）救災

解囊救溺

己巳杭城失火。連日夜不息。延燒數千家。官吏俱往救。衆見火中有金甲神人持紅旗。左右指麾。圍繞一宅。火至輒囘。及火止。瓦礫中此宅孑然獨存。乃北新關吏顧某家也。時顧奉差往江南未歸。室內僅婦子數人耳。衆驚訝。莫測其故。方顧赴江南。舟泊蘇州河側。薄暮見一少婦。沿水哭泣。問之。則曰：「妾夫因欠糧五十金。繫獄嚴比。命在旦夕。不忍見夫先死。來尋自盡耳。」顧卽解囊中五十金付之。婦拜謝而去。歸舟復經其地。偶入酒店飲。對門卽前少婦家。婦見而告其夫。邀入室。置酒款洽。因留宿。夫謂婦曰：「活命之恩。無以報。汝當伴宿以酬之。」夜半。婦就顧寢。顧毅然拒之。再三。披衣起。避歸舟中。抵家。慰者踵至。詢有何德而能囘天若是。顧憫然。固問之。因舉前事以對。衆屈指計之。與起火之時適合焉。

出貲救溺（一）

高郵張百戶。以公事之淮安。事畢還里。値大風。遙望一舟。浮沉波上。有人坐舟背呼救。張出白銀十兩。謂漁舟曰：「救得一命。卽與此數。」一漁人利其金。衝浪往救。得一人。至乃張之子也。以候父而來。遭風被溺耳。救人自救。可爲巧已。

出貲救溺（二）

徽商王志仁。三十無子。相者謂其十月必有大難。王素神其言。因急往蘇斂貲歸。旅寓中晚步。見一婦投水。王急取二十金。呼漁舟救之。問其故。婦曰：「夫傭工度日。畜一豕。將抵租。昨賣之。不意皆假銀也。夫歸箠楚。且無聊生耳。」王倍價周之。婦歸告其夫。夫不信。偕婦至王寓質焉。王已闔門寢。婦叩門呼曰：「投水婦來謝。」王厲聲曰：「汝少婦。我孤客。昏夜豈宜相見。」婦曰：「吾夫亦在此。」王乃披衣起。纔啓門。墻忽傾倒。臥榻已壓碎矣。夫婦驚嘆而去。王歸復遇相者。駭曰：「子滿面陰德。不獨免難。抑且獲福。」後生三子。兩發科第。

舍貲救溺

楊少師榮建寧人。世以濟渡爲生。久雨溪漲。橫流衝毀民居。溺死者順流而下。他舟皆撈取貨物。獨少師曾祖及祖。惟救人。而貨物一無所取。鄉人嗤其愚。逮少師父生。家漸裕。有神人化爲道者。語之曰：「汝祖父有陰功。子孫當貴顯。宜葬某地。」遂依其所指而窆之。即白兔墳也。」後生少師。弱冠登第。位至三公。加曾祖祖父如

其官子孫貴盛

解衣救凍

馮琢菴之父隆冬時早起見路有倒臥雪中者半死矣急解已綿襖衣之扶歸救醒夜夢神曰汝救人出自誠心當遺韓琦爲汝子遂生琢菴名爲琦

出資贖票

黃汝揖家富時方臘寇亂汝楫以金銀埋土中欲逃避聞賊掠士女千人閉空室中得金帛始放還不爾將殺之楫惻然發所埋金萬兩爲之納贖千人皆得脫楫生五子開闔閱聞誾相繼登第人以爲救危之報

（八）恤孤寡

矜恤孤女(一)

明張振之字仲起太倉蔡涇人嘗守吉安有吉安丞張大猷晚年娶妾生一子。甫三歲。大猷與妾相繼病故。子遂流落民家。公知之。爲置媵保以歸。張長邑令沈某一室相繼而亡。公治棺而歸之。僅存孤孫。託有司護持。天台令死於官。不能歸里。其家流寓杭州。一孫女甫髫。落奸人手。爲妓家女。公聞。流涕。爲之贖歸。俾擇良配。如是捐貲濟人者不一。子際陽爲一時名流。子孫特盛【按】賑濟困乏。俾得還鄉。是成其美於生前。繇人之嗣續。拔人於患難。是成其美於身後。

矜恤孤女(二)

鍾離瑾宰德化縣。將以女歸鄰縣令許公。一日諭胥買婢隨行。胥與老嫗引一女來。問其何許人。嫗詭辭以對。女受嫗戒。亦不敢實言。一日鍾離視事歸。遇女屏間掩涕。詰之。曰：「被詬杖乎」。女曰：「非也。乃言某父亦曾令是邑。不幸父母俱亡。時某五歲無親可依。育於胥家數年矣。今明府欲得婢。胥以某應命。因見明府視事。憶念先人。不覺悲耳」。公急呼胥嫗訊之。果然。大為憫惻。誡家人為易服飾。書抵許公。告綴期將掇已女妝資嫁焉。許亦惻然。復之曰：「君侯能抑己女而拔之人孤。余有季子。願以為配。安事盛飾哉」。卒以二女歸許。瑾夢一綠衣丈夫拜謝曰：「不圖賤息過蒙君賜。已得請於帝。公十任守土官」。後瑾果歷十郡太守。終於江淮轉運使。壽九十八。子孫多仕於朝者。

矜恤孤女（三）

劉宏敬世居淮淝間。資財百萬。修德不耀。人莫知之。有善相者遇於壽春道中。延而訊焉。曰：「君財甚豐矣。然更二三年。大期將至。奈何。」宏敬曰：「壽夭由天。先生其謂我何。」相者曰：「相不及德。德不及度量。君雖不壽。而德且厚。度量尤寬。且爲期二年。勤修令德。冀或延之。吾三載後。當復來此。」宏敬流涕送之。乃歸。急爲身後計。有女將適人。求女奴。資行用錢八十萬。得四人焉。內一人名蘭蓀者。有殊色。風姿濯濯。迥異同輩。詰其由。但涕泗橫流無一言。久乃對曰：「妾本名門家。於河洛。父以卑官滯淮西。遭吳寇之亂。身委刃鋒。家仍沒官。以此湮沈。無門控訴。骨肉俘掠。不復可知矣。妾身已再易主。今及於此。」言訖大慟。宏敬太息久之。曰：「衣冠之女。抱寃如此。我不拯雪。神明必誅。」問其親戚。知其外氏劉也。遂焚券納爲甥。以家財五十萬。先其女嫁之。是夕夢一人青衣象簡望塵而拜。潸然曰：「余蘭蓀父也。感君之恩。無以爲報。聞君壽將終。當爲請於帝。故奉告。」後三日復夢蘭蓀父立於庭。紫衣象簡。侍衛甚嚴。前謝曰：「余幸得請於帝。許延君壽二十五載。富及三代。其殘害吾家者。悉案理之。帝又憫余之寃。署以重職。獲主山川於淮海間。」因嗚咽再拜而去。越三年。相者復至。迎而賀曰：「君壽延矣。是有陰德上動於天者。自今後二十五載。慶及三代。」宏敬始以蘭蓀事告之。相者歎異。後富壽果如所言。

恤矜孤寡

潘季卿。廣城人。爲邑諸生。日與人抄寫度給。一母一妻一子。四壁晏如也。鄰之夏嫗。女十七。幾。夫亡。行年六十。猶以女工餬口。時有不給季卿稟母周之饘粥相憐時新果菜買回奉母必分餽之同里孤子左茂元十歲喪父性穎悟季卿每鞠於家授以毛詩易傳爲之講習教以成文十四歲應茂才科第一又常以忠孝勗其事母得爲孝子元日有道士過其門授以九九靜攝之術遂無心於進取母年至九十九無病而終鄰母同日亦逝斂殯一如其母舉葬畢挈妻子入羅浮不知所往後邑人見卿布席往來海上茂元成進士作臺於東山之麓以懷之秦山人有潘季卿傳

矜恤難婦

杜環金陵人父一元廣交四方名士有常允恭者與之善後恭以兵部主事死九江其母張氏年六十餘無所歸往依安東守譚敬敬固恭友也拒不納張大窘展轉至金陵訪一元路人告以一元

死。其子環家在某所。張服破衣。冒雨至其家。見環泣訴以故。環亦泣。呼妻子出拜。妻馬氏解衣。更其破衣。奉食設寢處。時兵後歲饑民骨肉不相保。張見環貧。堅辭出。訪他故人。環遣婢從之。無一遇者。復返。環以下皆母事之。張性褊急。稍不愜。輒詬怒。環私戒家人奉之。惟謹。張善病。環親爲調藥。逾十年。環以貲禮郎祠。會稽遇其幼子伯章。語以母狀。章漫應曰：「吾亦知之。但道遠不克至耳。」環歸半載。伯章始至。是日適環誕辰。母子相持大哭。家人以爲不祥。止之。環曰：「此人情也。何不祥之有。」已而伯章竟紿以他事去。不復顧。環奉張彌謹。然張以念伯章故。疾頓加。又三年乃卒。臨終。拱手向環曰：「累杜君久。願君子孫咸如君也。」環爲營葬。歲時祭其墓。環歷官至太常。子孫亦顯。

（十）修橋路

捐輸修道

皖休寧吳林文好行善。乾隆初漁亭至祁門六十里。道路倒塌。行者病之。僧滄水募緣修之。公首倡捐輸。約費銀十餘萬。遂成康莊。後公壽至九十三。子領鄉薦。孫登進士。

（十一）助棺葬

施棺助葬

寗宗禮壽安鄉人。常造棺櫬施人。貧不能葬者助之。終其身不變。享年八十。歿托夢於家人曰：「我生平好行善。坐此慶流子孫。說與十四郎。明年發解。自此增修吾業。登科不絕矣。」十四郎名謙光次年果解元。翁樂善好施。子孫永無虛榜。

絕糧助葬

郭元振年十六入太學。有家信至。寄錢四十萬。以為舉糧。忽有縗服叩門者云。『五代未葬。合在一方。今欲同時遷窆。乏之於材。貲聞公家信至。能相濟否。』公即命以車一時載去。略無留難。者亦不問姓氏。其年糧絕。竟不成舉。然識者已知其為宰相度量。

成全舊葬

沈少參宣城人。卜一穴。輿師歎美不置。及啓土。內有舊葬遺棺。師欲棄之水。沈曰:『不忍。』師以吉地難得。令遷葬之。沈又曰:『不忍。』仍命掩土。復恐後有發之者。為立碑誌焉。夜夢冠帶者來謝曰:『感君厚德。當送狀元為嗣。』明年生懋學。弱冠登科。丁丑病將歸。夢冠帶者勸其力疾入場。遂中式。又以病。將不應廷試。又夢如前。言君且大魁天下。學申詢曰：「屢蒙見教。君何神。」曰：「問尊公自知」。果狀元及第。

接葬流棺

殷仲堪爲荊州刺史。鎮江陵。先是仲堪遊於江濱。見流棺。接而葬焉。旬日間門前之溝。忽起爲岸。其夕有人通仲堪。自稱徐伯元。云：「感君之惠。無以報也。」仲堪因問門前之岸是何祥乎。對曰：「水中有岸。其名爲州。君將爲州。」言終而沒。至是果臨荊州。晉書

葬埋髑髏

京江叚克遇生平惡聞人過。閨閫之事。尤禁口不談。一日過黃坑。於路見一髑髏。隱隱有竊賊二字。蓋黥犯也。至晚宿寓中。夢一少

年。以衣衾首曰：「我在世不肖。致遭官刑。今朽骨拋露。黔字猶存。見者不生憐憫。反加非笑。我羞愧之甚。知君忠厚。特來相求。倘蒙掩以坏土。我必有以報君矣。」既醒。憶其言。次早偕僕。仍至黃坑。尋前骨埋之。越數日。復夢少年來曰：「感君掩我之醜。君明日過溪。其中有三溺死鬼。往往害人。吾當悉力救援。保君穩渡也。」次日渡溪。旋風大起。隱隱聞爭鬬聲。舟抵岸無恙。事畢回家。欲赴田看收穫。家人曰：「近出一虎。咥人多矣。」既懼不敢往。夜又夢前少年曰：「虎食人必須倀鬼指引。君可預挖一坑。明日二更時。我與倀引此畜入阱。可殲也。」既如其言。率家僕持械伺之。至二更。果見有二人隱隱前行。虎後隨。至坑邊。二人用手指坑。虎即跌入。衆械齊下。從此害除。既與鄉鄰述其事。皆感其德。斂貲爲之立廟。

塑冠帶像。像成之日。合村之人。皆見傘旗鼓吹前導。有一少年乘軒進廟。如新官到任。自是春秋祭享不絕。祈禱輒應。此可見黔鬼能報德除害。卽便成神。人奈何不自振乎。

(十二) 體恤

不肯誤人

趙芳崖祖次山家居時。一販夫以贋銀三兩易穀去。越數日。公以數銖買一豕。既而別有所售。方知其贋。亟命訪鬻豕者。以眞銀如數償之。并索贋者投之江。曰：「勿留此以誤他人也。」後鬻豕者來謝。公曰：「吾方懼汝憾我也。又何謝。」公享年八十餘。及見芳崖舉進士。官御史。

還銀恤人

施南徐氏以蠟樹一山賣與客。既交銀而蠟盡壞。客泣不欲生。徐取原金還之。越數日其蠟復活。勝前數倍。復售得六百金。報應之奇。抑至於此。故曰：「積善逢善。積惡逢惡」。仔細思量。天地不錯。

（十三）貧而好施

貧而好施（一）

江都蔣應參幼孤而貧。事嫡母至孝。持品端方。教人以誡殺好施。出則攜錢贈給乞丐。呼曰：「貧民」。色甚恭。子善應丙午鄉試。其硃卷忽從衆卷中徐徐自出。房師張調鼎異而特薦之。遂中式。

貧而好施（二）

鄒夢龍貧而好施。嘗脫衣以活寒者。有僞苴杖而哭過公者曰：「遠方書生。父死不能歸」。公為賻之。并斂所知賻之。已而其僞露。人以誚公。公曰：「寧受人欺。坐視吾不忍」。

貧而好施（三）

江蘇南通徐翁萬寶。家貧。葺茅為舍。設小肆。販售陶器磚石。兼治小工藝。有餘貲。即以作施捨用。天雨施行人以笠。夏施茶。夜施燈燭。數十年如一日。自奉儉而慨于施。遇人有急。雖值匱乏之時。必典衣縮食為之。鄉里均稱之曰：「徐善人」。其子暐。邃于學。為政有聲。識者僉謂徐翁積善之報云。

典物濟人

王茂修志在行善。每遇好事。雖解衣典物不惜。曾見乞丐病死路傍。無人埋葬。回家搜囊。無一文。時値天寒。祇存絮被一條。赴典舖質錢數百文。不足。又以妻耳環湊之。次日。卽有還遠年陳欠者。除取贖典物外。尚有餘剩。生平所作善事。若有神助。無不成就。郡城外有官路。兩面臨水。日久傾圮。往來不便。王發願重修。無力。遂出家爲道士。募化。人感其誠。無不樂助。期年得千金。鳩工庀材。砌以方石。鑿蓮花。名蓮花街。遂成坦道。餘貲建太乙閣。修煉其中。每早廣施藥材。以救疾苦。一日有疥癩羽士來閣中求齋。王與之食。且贈以衲衣。至夜半。羽士曰。「爾大有福緣。故所作必成。肯從我遊乎。」王欣然許之。羽士命閉目攜手而行。如在半空。足下波濤洶湧。啓目微視。則茫茫大海也。霎時抵岸。見層巒疊嶂。鳥語花香。迥非人境。羽士止王於石室。暫別他往。王至後洞。見燃燭數十。輝煌雪亮。地臥死人十數。王大駭。羽士適至。曰：『此吾道友。偶出遊人間。作王公卿相。不日即回。何懼焉。』王求歸。羽士亦不留。曰：『爾歸念既動。仙緣尚淺。有一書付爾。可照此行功。俟二十年後吾再爲接引。』遂送歸。其書方痘疹力。王用以治小兒。無不立痊。後二十年。復遇前羽士度去。

一仁一暴

武昌劉克謙。與弟克敏克寬各分田十頃。房貲在外。克謙平日滿心知足。好周旋貧乏。嘗語二弟曰：『吾輩稍豐厚。不於此處看破。恐得罪神明也。』二弟不聽。克敏刻薄慳吝。克寬豪放暴殄。情形互異。後克敏二子蕩業。敏憂鬱而終。克寬遭火。又爲人命誣扳。死獄中。無嗣。惟克謙家與隆。子中進士。

一仁一刻

蜀郡大飢。富民羅密有穀萬石。閉糶以冀重價。義士許容有穀千石。盡用賑飢。穀盡。繼之以錢。錢又盡。來者益衆。不能開發。忽發狂風。而羅密之倉穀隨風起。自空而下。旋成小堆。遍於荒郊。聽民自取。羅之藏蓄。一時俱盡。氣憤縊死。鄉人感許之德。次年酬還者衆。幸羅之災。無不稱快。有司詳報。政府以許爲邑佐。官子孫昌大。

一貪一義

湖廣麻城縣張姓。起一樓。極其華美。又費五百金。爲父母塋。龍脈甚佳。適禮部陸某。本縣尹座師也。偶泊舟門首。弟欲邀入款待。兄不允。弟思延貴客爲新居慶。力主治席款待。歡如素交。留宿樓上。達旦。陸四顧。默計已宅後園。得如此一樓甚。稱二月之後。張以假命被誣繫獄。念陸留飲之情。袖百金往求。陸乘機必欲以樓爲質。張不得已强從之。券成爲言于尹。求釋。尹許減罪徒責。陸隨遣僕拆樓。兄怨其弟。婦怨其夫。一時自縊。越四月。陸功告成。親友聚賀。陸有子方弱冠。才高名重。同席歡飲。急趨樓下。俄而有聲。往視之。則縊死簷前矣。

當張姓擬罪徒責。會有本地鄉紳金宦。乃縣主本省學道。尹復諭金索五百金。併免其徒責。張力竭無以應。金宦之親。謂張某曰「宦未有壽藏。汝力不足。盍獻坟地爲謝」。張亦强從之。其親告宦。宦曰：「物各有主。攘生者之居。猶有天殃。况奪死者之居。吾魄能安乎。牛眠龍角。總不足慕。且伸冤理枉。正吾夙願耳。」爲白其冤。終不受謝。令聞之歎服。張亦舉家感泣。日夜禱祝公壽。隨舉父母入土。金宮忽一夜。夢兩垂白夫婦叩謝曰：『公算已盡。當于到任三月後。即終。上帝以公不受葬地。更延二紀。位至巡撫。拜命之後。幸即乞休以避兵難。』後果因禦寇有功。超陞宣撫。公感夢力辭致任。未幾虜騎長驅。代任者被逮。公優游林下。壽至八十八。

下編　惡例

屯積居奇（一）

江西廬陵大旱。米價踴貴。有龍昌裔者。蓄米千斛。閉不發糶。既而微雨。價乃稍減。昌裔乃為文禱于神岡廟。更祕一月不雨。禱畢。憩道傍。俄有黑雲一線。自廟中起。雷雨大作。昌裔震死。官司驗之。脫其巾。得禱文稿于髻中。後其孫應童子試。官皆擯之。終身不獲寸進。

屯積居奇（二）

開封府一富民。積穀數千石。值歲大饑。閉糴以冀重價。謂其親曰：「此等凶年數十年難遇。今幸逢之。俟其價十分高起。然後出糶。一舉卽成大富矣。」次年被流賊所殺。蓄積一空。

屯積居奇（三）

饒州段廿八。字振元。素性貪刻。積穀數十倉。值歲大飢。欲索高價。官遣吏往借賑。段強應之。次早見飢民候集。悔不肯發。衆方喧噪。段乃與家人閉門拒之。忽天雨晦冥。雷火大作。焚其所貯殆盡。段亦震死。

屯積居奇（四）

梅溪一富翁。最貪鄙。錢穀日積。陳棟塘曰：「此人當有奇禍。既財積不散。又無一善狀。欲無殃得乎」。且曰：「不惟貪吝可鄙。近漸驕橫。是速禍也。」未幾為賊所殺。

屯積居奇（五）

萬歷某年。某鄉有某上舍。積餘米三千石。值歲荒。價一兩二錢。時上舍在外。其管倉僕寄信云。「米價貴可糶矣」。上舍批云。「待貴至二兩方糶。」不數日火發。焚倉。三千米悉燼。

重利盤剝（一）

清順治間。徽州一丐。背曲如弓。項下復有一骨。面常仰。目鼻俱向上。長不滿三尺。而飲啜饕餮。日持鉢沿門乞食。不足則取道中陰溝水啜之。自言能知前世事。每謂人曰：「我前生一富翁也。初甚貧以出入貴宦家賺其貲。盤剝厚利。漸致富。益自驕肆。享用二十年後病死。冥司欲罰爲犬。判官曰：『不可。犬一飽卽眠。見人至。嗥跳擲人。輒避之。是仍一富翁相也。須罰爲貧兒。以償夙惡。我前世嘗挺胸傲客。故今罰我曲背。又嘗頤指氣使。受人諂奉。故今罰我仰面前世。飲酒食肉。而性鄙吝。不肯與人一臠一勺。故今罰我饔飧難飽。俟滿二十年。惡債當再托生犬腹矣。』

重利盤剝（二）

太倉居民沈某。家富而不仁。隣里同邸者。常耕過其界。有網罟車犂之類。必借而陰壞之。舉借必倍息。而入其少子婦。勸之不聽。後少子婦歸寧。忽雷雨大作。一龍入其家。席捲震蕩。一家長幼俱死。少子婦以歸寧獨免。

謀佔產業(一)

富人盛某號『黑心簿』謀買樓地。陷人獄死。其子六歲尚不能言。一日於樓上見其子曰：『吾爲子孫計。故爾設謀。今如此愚蠢奈何。』子忽厲聲曰：『爾以無罪殺人。奪人之居。尚望子孫耶』盛大驚。隨即跌死。其子蕩盡家業亦死。貪毒害人。大抵爲子孫計。豈知子孫幷不可得。卽得之。正爲耗財取命而來。不久身死財盡。子孫仍歸烏有。嗟乎欺人害人者。有益耶。無益耶。

謀佔產業(二)

陸文淮上人也。侵其隣人鄭氏之產以爲園囿。所存惟嘉樹一株。陸晚年得一子。而啞。數歲遊於庭。忽指樹而言曰：『樹乎汝猶在耶』一家人大驚。已而復啞。及長荒淫戲傲。盡破其家。乃死。人皆以此子爲鄭氏後身。

謀佔產業（三）

林達為人姦柔。里有墳地一區。風水甚吉。達思圖之。乃偽立文券。稱其父未故時賣與某。地主不能辨。嗟恨而已。達遂遷其父葬之。是夕卽夢父語曰『福地在心。不在墳塋。安有奪人之地。而子孫得享福利者乎。今絕嗣矣。』未幾達死。其子亦死。

謀佔產業（四）

張該有宅宏麗。以之用典張俊千緡。俊心愛之。乃厚賂牙人。換作賣契。後該㩶窘。請俊找價。出契示之。該不能辨。仰天洒淚而已。未幾俊子孫皆失音而死。夫侵人所愛。而以至愛之子孫償之。何其愚耶。

謀佔產業（五）

錢翁者某僕也。主以謀鄰田不遂。以稗數斗。密令翁散田中。翁謂妻曰：『彼家力作何忍誤之。然不爾則逆主命奈何』。乃私蒸其稗。主偵之見翁已遍散矣。既而稗不生。主心異之。莫知其故。後翁生子美中。成進士。主人子忽發狂。神附曰：『以某年某月夜中事。天錫錢某貴子。其主當絕嗣。全家不曉。惟翁自知之』。翁隨子任受封。老且病。憊甚。自度不免。有乩仙降曰：『三十年前蒸稗事當更延爾壽。勿憂也』。病果愈。又歷數年始卒。

謀估產業（六）

方城鞏固與富民周姓比鄰。忽夫婦俱亡。只遺老嫗幼孫。孫子處一身。固置酒以語誘嫗曰：『與孤孫子處挾財產自雄。非計也。盍鬻我』。嫗喜。立劵。其値不能半。纔得劵。即令他徙。嫗忿不敢言。自是固常見周氏夫婦乍見乍隱。時噫嗟井戶間。明年兵亂。鞏氏數十口俱死。嫗與孫以離業免難。後歸。遂復其產。

謀佔產業（七）

富人有徐池者。與徐八居址相近。見其房屋壯麗。百計圖之。八初無售意。池乃設計誘其子以賭博。遂致廢家。卒賣其於池。徐八大恨。於是父子不睦。憤悶而死。未幾。池之三子五孫。皆得重病。夢其祖曰：「禍將至矣。汝憶前日得屋之故乎。此徐八為祟也。彼將訟汝於冥司矣。」池懼。禱於邑神。方入廟時。見一丐者。作驚駭狀。或問故。乃私告曰：「昨夜偶臥殿上。見有人手執訴詞。訟徐池以誘子蕩產者。不意徐池適來祭禱。是以異耳。」池聞而益懼。不踰年。而池病不起。死亡殆盡。

侵佔鄰址

張宣與郁丙為鄰。忽遭回祿。兩家皆成灰燼。郁丙先死數年。同里有湯福者。以病入冥。丙見福泣曰：「吾舊與張宣為鄰。居吾屋住址。已盡吾界。簷溜所滴。實奪張宣之地。吾訟官。強奪不過三尺地。而幽冥譴責。至今未已。煩切告吾兒。急令割還。庶幾一段事了。不然。何由得離罪網。」福還言之。由是傳播。

仗勢霸佔

明閻宏山西巨族也。家財數十萬。每巡撫至。必費貲交接。府縣皆款洽。勢利如此。世風可知。勢焰薰天。大邑中良善之家。畏之如虎。霸佔人房田。不允則嫁禍害之。武斷人詞訟。不服則仗威制之。鄉人號曰：「惡閻王」。一士子投詩刺之曰：「閻王本善誰云惡。此號加君君不樂。何弗捫心細思量。鄉情公論原非刻。』後爲巡院訪拿處死。家財爲族人爭奪罄盡矣。冰消瓦解。妻子至窮不能度日。

仗勢迫債

虔州吏李甚。督利近村。命一僕索逋。不足。縛負債者于樹上。灌以糞汁。得錢圍裹腰間。雷震此僕于普安寺前。其錢入皮肉內。

騙人家產

鄧榮以狡猾起家。鄉有宦嗣不肖。喜賭。鄧搆黨數人。用藥色擲之。騙其家產殆盡。流落而死。後鄧爲商。遊江湖二十年。遇一寇。儼如宦子。縛鄧父子。淫其女媳。盡掠其貲。後鄧貧困。亦流落而死。

假銀欺騙

崇楨時東昌莘進士父某翁。以假銀致富。子登第。翁悔曰：『吾家富而子成名足矣。奈何仍蹈故轍。」誓不復用。無何進士病目盲。家亦漸落。翁恚曰：「安所謂天道哉。向用假銀。乃日富。子且顯。今易之。乃日貧。子且盲。遂復用如初。」逾年進士目漸愈。謁選得秦中令。翁大喜。挈家隨焉。秦寇起。於是闔門遇害。

以假易眞

康熙八年。崑山某典舖藏一銀匠於家。視人所典金銀物。佳者即以僞者易之。其製宛肖原物。有人使老婢以金鐲典銀五兩。迨贖時。已爲贋物。婢不能察也。未幾再以此物往典舖中。訶之曰：「銅耳。」婢曰：「前與汝典銀五兩。即此鐲。何言銅。」相持良久。竟以其物歸。主人恚甚。責婢。婢曰：「必汝爲僞耳。」婢無以明。即欲自盡。忽聞雷震一聲。則典舖中之人死矣。然猶諱之曰：「暴亡。」棺殮之三日。雷忽破棺。擲其屍於通衢。如示衆然。

設局誘騙

明趙春生內懷奸詐。外面待人一團和氣。非笑容不開口。且善揣人性格。曲意奉承。故見者莫不傾倒。平日與走陰差名活無常者。相善。託其到陰司查伊壽算。差回賀之曰：『某煩掌案者檢籍。君壽九十四歲。令子三人。家計萬金。衣食享用不盡。全福人也』。趙自此經營稱意。連生三子。遂恃陰籍有定。漫不修省。局騙刻薄奢侈之事。靡所不爲。年登五十外。三子相繼夭亡。身孱弱多病。家業漸耗。復尋無常問之。答曰：『陰籍豈有不驗之理。吾近晤掌案者云。君數年以來。設局誘賭。於中取利。致人夫妻反目。父子乖離。削壽十年。減去衣祿十分之二。漁色哄嫖。致人傾家蕩產。又削壽十年。減去衣祿十分之二。至違禁滾放利債過分烹宰生命。皆干神怒。又削壽二十年。減盡衣祿。三途非遠。君何不懼。』趙不明三途之說。固問之。無常曰：『吾已奉差。君可沐浴。今夜來我家。一同赴冥。當知君之受報。』趙如其言。至夜過其家。無常令趙閉目存息。夢至一大衙門。建牙列戟。如王者之居。與無常同進。過無數房屋。見有大廳九楹。瓊瑤爲柱。白玉爲櫟。華彩異常。榜曰：『旌善』內藏蟒袍。冠帶金銀寶貝之屬。無常曰：『凡人在世行善。轉生當享此報。』又朝北幽暗處。有破屋六楹。榜曰：『罰惡』內藏皮毛羽翼鱗甲之屬。無常曰：『凡人在世作惡。轉生當受此苦』遂同出府。見一大河。有畫船一隻。載男女十餘人。或衣白。或衣黑。或衣花繡。吹彈鼓唱。招趙登舟。無常喝曰：『時尚未到。爾先往。伊後來可也。」遂醒。無常曰：「君見否。死後當作舟中人也。」趙曰：「死而如此。亦不甚惡。」無常曰：「彼等投胎猪腹。入世一載。即受宰殺。其苦無比。何快樂之有。」趙追悔不及。

迫寫借票

江南某舉人。家富。性貪而淫虐。死後半年。其友周某。死一晝夜而醒。言到陰司。見某舉人。遍身拷掠無完膚。枯瘦不堪。呼周哭曰：我生平積惡如山。死後一一受報。不可言。不可說。悔無及矣。只有一二事及今改之。尚可減我惡報萬分之一。我盤算重利。逼寫借票數十張。用計陷害。逼寫田地墳屋文契數十張。盡在臥室某箱中。可速還本人。強佔女子幾人。現在家中。可速還他父母。打死僮婢幾人。骸骨埋在後園廁旁。可發出枯骨。用棺葬之。則異痛極苦。略免半刻畜生豬狗。略少幾轉。並懇急告吾子。家中金帛雖多。與他無涉。財產一日不盡。禍害一日不息。速速廣積善緣。盡行佈施。雖無濟於我。也有益於他。若不信。可記吾言。某月某日吾家已勅火部矣。其子諸事一一如命。獨不肯散財。至某日某家。果被火。此康熙甲寅年。七月事

捺契不還

有陳姓借羅某銀三十兩。利上轉利。累至百餘金。陳將田算還。羅窺陳尚有田一二十畝。意欲吞謀。收其田契不還借帖。屢討推故。次年陳死。子僅三歲。不曉討帖。逾七八年。羅又執帖追銀。言本利該伊數百金等語。寡婦言夫在已還。羅以威勢恐嚇。聲言要告其幼子。孤寡畏懼。只得賣田重還。家業已十去七八矣。還銀之日。值羅外出。又未退帖。至次年復生枝節。謂利尚不足。窺寡婦有豬一

口。命家人往强牽之。至欄所。忽見陳某坐欄內。驚駭而歸。羅怒責之。又命其子往牽。所見如前。歸直言之。羅不信。自往牽回殺之。是夜得病。作猪叫。數日而死。其子遊蕩。非爲。將家業賣盡。並將居屋賣與人作祠堂。三子皆癲狂死。兩孫覓食作賊。無妻無子。不久便絕。哀哉。想其處富之日。其心必曰：「我有許多家財。年年上長子孫。如何得窮。至今日。光景。豈夢想所能及哉。」

刻薄（一）

洞庭山。消夏灣。蔣舉人屢試不第。逐效壟斷之術。執籌數緡。算入骨髓。不上數年。稱萬貲焉。錢神作祟。爲盜所刼。鞭撻炮烙。慘于官刑。罄其所有。席捲登舟。盜喜過望。殺牲載酒。賽愿于小雷山斷岸數十里。泊舟其下。自恃邏兵莫及。登山祭畢。酣飲大醉。不料舟師截纜揚帆而遁。時值隆冬。凍斃無一存者。

刻薄（二）

杭州王用先。刻薄成家。積財百萬。猶貪心不足。置大小二斗秤。大進小出。欺剝貧民。將及十年。遭禍被刑。家財破散。子孫乞丐。

刻薄（三）

江南某翁。富甲一邑。刻薄殊甚。其館師看書至夜深。聞屋上有神語。一云「某謀利甚刻。當焚其居」。一云「太輕」。一云「當絕其嗣」。一云「太重」。一云「然則與彼一淩霄罷」。師異而筆記之。暗藏於樑上。是年富翁。從揚州娶一妓。號淩霄。百般耗費。生子不肖。傾蕩無存。後拆卸屋樑。見師所記神語。衆人知之。莫不歎息。

刻薄（四）

江山縣祝大郎富而不仁所用斗斛秤尺大小不一忽有道人過門戒曰「汝宜用心平等豈可如是今若有人來取斗秤等物家必有災」是夕即夢二青衣來取夢中付與既覺急尋之已失矣因憶道人之言謂災者火也即盡徙室中之藏於山上質庫方稍定庫地忽迸裂洪水湧出屋宇錢帛順流而下所居立刻化爲深潭至今呼爲「祝家潭」

刻薄（五）

常州蘇掖仕至監司家富而嗇每置產吝不與直爭一文至失色尤喜乘人窘以微價取奇貨嘗買一別墅與售者反覆減直甚苦其子在旁曰「大人可少增金兒輩他日鬻之亦得善價也」掖愕然自此少悟

刻薄（六）

將樂縣萬安寨有張孝廉某。貪而放頗。侵剝鄉鄰。以自益。人不敢忤。家本貧。後遂驟富。臨溪築室。連楹曲水方亭雕闌複磴結搆甚侈。亡何。謁選得蜀中縣令。道病卒。家隨以破。屋室歸于鄉人夏生。而孝廉一子。反依栖執役。略不知愧。有人作詩曰：『九曲池塘活水流。雕闌面面俯清幽。半生心力經營盡。好與人間話鵂鶹。』蓋紀其實云。

刻薄（七）

畢永以苛刻立業。凡田產與之毘連。百計侵之。及其有急要賣。則陽拒之曰：『我不欲也。』既去。又陰使人勾之。及至。則又曰：『我實不欲也。』其人情急。只得減價相就。及成契。則又曰：『我銀不便約某日來取』至期或以低銀或以米穀擡算與之減而又減平生所爲大都類此後永死其長子以人命係獄破家而死次子流落乞丐死於他鄉嗣遂絕觀此則極惡之人實極愚之人也

刻薄（八）

吳興有王某者每設計買人田產劵成僅償半價放債則契外多索人畏某橫不敢爭已何暴卒鄰家生一牛主人視之忽作人言曰：『我王某也陰司以我負爾田價故罰爲牛以償煩召我子來令奉還』主人大驚急呼其子子掉臂入門高聲問曰：『牛何在』牛不應其子怒罵主人便逞兇拳牛乃言曰：『汝來問牛吾羞憤故不應尚欲毆人耶』因歷數某產欠償若干某債原契未還今在何篋須一一清楚以脫我罪言訖踣地死

慳吝

吳門有陳某者。家頗富裕。惟性慳吝。親族中貧苦者。非但不肯通融。且拒絕而避面不遑。恐來告貸而費唇舌與茶酒也。每歲屆佃戶還租時。輒較他姓畝多收四五角。歉歲。苦佃無力繳租。亦逼索不恕。私行責打。或索繫凍餓。再不繳。即送官押追。人言嘖嘖。所不惜也。一般佃戶。怨聲載道。銜恨切骨。皆謂若陳某者。兇如豺狼。喪盡人格。不殛。實無天理。未數年。陳某有二子。皆成年。不圖上進。終日沉溺于花天酒地。金閶花叢中。罔不知有陳大少者。三四年。已揮霍四五萬金。情性雖吝。而舐犢情深。二子揮金如土。亦無可如何。且子問父索資。其父稍逆意旨。即拔手槍以恐嚇之。未十年。田產與屋。相繼售罄。存身無處。風飄露宿。陳某因是抑鬱氣憤而死。

後二子。無人憐惜。流爲乞丐。不知所終。蘇人酒後茶餘。均爭談陳某慳吝殘忍之報。一般收租者。僉引以爲戒。

奢侈（一）

山右豪民伍其仁。廣有家貲。奢侈無度。建大第。僭擬王侯。用翠柏爲樑。紅粉爲壁。文石爲堵。鑿池於堂。覆以水晶之磚。金魚行藻。瑩然可數。客坐其中。如居水上。皆驚懼不甯。又有七寶之床。遊仙之枕。鳳翮之扇。龍鬚之拂。周彝商鼎。越異秦珍。靡不充仞其中。每食進饌。悉用金盤玉盞。侍婢皆綺羅錦繡。分列兩旁。以手捧饌。視其所欲而跪進之。有會芳園。廣可十餘里。起十二院。居十二妾。每妾用美婢八人服事。妾皆通琴棋書畫。婢盡解妙舞淸歌。晚夕治酒通園燃銀燭萬條。明如白晝。令妾賭采。勝者得侍寢。各院之婢皆持樂器。奏於窗外。俟伍睡酣乃歇。醒則復奏。達旦不寐。家畜男女梨園客至則演戲。伍自執鼓板。按其宮商之生熟。以爲賞罰。日用千金。率以爲常。豈知福過則災生。樂久則苦至。極欲窮奢。造物所忌。伍忽然得胃弱之症。雖珍羞畢陳。不能下咽。每日臥床不起。略聞響動聲。即魂驚汗出。有道士素講抽添之術。進藥數劑。引動相火。一時不御女。則下身如火。疼痛難忍。不數日。瘇裂流血。日夜叫號。聲如牛吼而死。

奢侈（二）

張義方有田數百頃。每歲收糧萬餘石。倉廩紅腐。絕不施濟。日用芝麻飼豬。菉豆飯牛。糠粃塡坑。正德六年。黃河遷徙。其田盡捲入河。家遂貧落。身死後。子孫打花棒鼓以乞米。

奢侈（三）

吳門徐某富豪也。縱極口腹。烹調務盡其精。每物止割其勝處。餘皆棄之。殺害甚多。稍不稱意。則曰：「此豈人食者耶」。即傾之地重擯庖人。或戒其過殺生命。徐曰：「世間物料本供人食。殺之何妨」。萬歷甲戌正月望夕。廣致珍饈。延一貴客。杯盤羅列。方欲就席。忽腹脹如廁。失足墜焉。飽糞而死。家人浴之。而殮口中之蛆猶綿綿出。弔者且哭且笑。時年三十餘。無子。家貲盡為勢家所得。

奢侈（四）

宋蔡京當國時。食用奢侈。以人乳餵豬。芝蔴餵鵝鴨。綠荳餵牛羊。用珍珠八寶煎湯治饌。數沸即棄去。另易新者。每宴客一盤值中人之產。京猶嗔不美。無處下箸。其家人翟謙。士大夫所稱雲峯先生者是也。費用無度。亦與京等。嘗歲終宴朝臣。約五百餘客。庖人進湯。客偶言湯以鴨舌治之美而且補。謙顧左右。微示意。逡巡而湯至。每客一碗。每碗三枚。客皆驚懼。有與謙相善者戲之曰：『此尚不足。可能再添否。』謙曰：『有心請客。畏大肚漢耶。』呼令速添。須臾每客又一碗。客有投箸不忍食者。計謙此番宴客。因偶爾一言。傷三千餘命。後蔡京遭貶竄。謙亦籍沒家產。金人擾汴之後。遂至貧無立錐。沿街叫化。餓死。

奢侈（五）

後漢梁冀與妻孫壽各起第。窮極土木。為園圃十里。山壑若生成。以金玉珠寶珍怪充其中。冀與壽張羽蓋遊之。門不通客。又作柘林苑。起兔苑於河南城西。皆綿亘數十里。後以鄧香妻宣奏其惡蹟冀及壽皆自殺。子孫宗親棄市。縣官籍其財三百餘萬。減天下賦稅之半。

奢侈（六）

郭崇義鎮河南。於洛中造大第千餘間。皆以文梓爲梁。花石鋪地。穿池引水。築山種樹。樓臺亭閣。無不備具。約費銀五千錠。次年被召還都。暮抵其第。秉燭周覽。尚未及徧。時朝會期促。不容久駐。飯罷少憩。載星而出。既朝復歸。行至東都。乃卒。不復再至家。後人不能守。轉售他人矣。窮極土木。何益哉。

奢侈（七）

明吳良佐家大富。號「吳萬錠」。日尚奢侈。（勤儉生富貴。富貴生驕奢。驕奢生則危亡立至。）以雞鴨爲不足適口。以綾絹爲不堪着身。設酒待客。暴殄非常。（日費千金爲一瞬之樂。何如散而活凍餒者數千百人。彼何曾日食萬錢。猶云無下箸處。子孫誅戮無遺。未見暴殄者能久而善終也。娶婦嫁女奢靡無比。轉眼十年人事變。粧奩賤售別人家。而親友探望則先訴苦狀以免其借貸。斷自己之善根。絕他人之生路。元旦有鬼寫對聯於門云天賜汝財天厚汝汝戕天物汝輕天佐令家人稱去仍不改後遭寇刼二次。富而不仁者請看。家財頓減未幾死。萬般將不去。惟有孽隨身。有一子名磬哥長大視錢財如糞土。贈貧窮半文不捨。供浪費一擲千金。奢侈鄙吝。大都如此。任意嫖賭。守財奴視善如仇。雖積金如山。死後皆供子孫嫖賭之用。不十年家徒四壁。成立之難如升天。覆墜之易如燎毛裸背行乞。當日稍分一二以利人。子孫何至於斯。

驕橫

胡勝士出身屠傭善謀財產暴得發跡家貲數十萬夤緣爲郡伯因狂妄爲上臺所惡不安其位告病家居恃其豪富盛氣淩人交結當道武斷鄉曲隨侍衆僕俱各驕侈橫暴不循理法胡常乘轎

出里門。見人不起立。即命僕按倒亂打。怒罵而去。一日往姻家宴飲。內有一書生。衣冠稍傲。胡顧而叱之曰：『汝乃卑田院中人。如何與官長共席。』有數士人不平。羣起攻之。主人急用好語調停。士人始散。胡所居近太上廟。其客廳較殿宇稍低。即加高過殿宇三尺。顏其額曰：『老讓堂。』雖取尙齒之義。其實暗藏太上亦退讓莫敢與爭也。更佔廟爲園囿。一夕夢太上責之曰：『爾銅臭村牛。驟享頑福。如何連我亦欺。先令爾吃百日苦惱。』命力士掌其頰。大痛而醒。次日腮間即患瘡癤。纍如貫珠。痛不可忍。晝夜呼號。醫家盡其方術。俱不見效。捱至百日。方得稍痊。其佃戶某欠租未淸。送官歷受拷比。賣女不足償。復賣其妻。僅得完欠。又被驅逐。不與田種。某因失業無家。遂入盜夥。心懷宿怨。聚衆數十人。各執器械乘夜打入胡宅。凡胡氏親丁。一人不留。碎割勝士。盡劫貲財。其妻媳與女。俱赤身挷縛。擲臥街心。使衆共觀。放火燒其房屋。盡成灰燼。其媳遺腹生子。不能成立。昔日侵佔田地。復爲勢家所奪。遂至貧無立錐。

恣橫

虹縣周義夫富而恣橫。同郡孫識之嘗從容勸戒。義夫輒怒罵。識之恨之曰。『吾且伺其敗也。』後義夫以事繫獄。適識之登第。爲本路漕官。竟處死。籍其家。

荒淫（一）

明永樂時。有名宦之子某。癡狂悖亂。人皆呼爲瘋子。其父雖廉潔自守。某却大通賄賂。廣聚貲財。謀什一之利。銖錙不遺。造園亭臺榭曲房幽室。以居姬妾。晝夜淫縱。信方士邪術。以狗腎接陽。所生子女皆具狗形。某恥而不育。盡撲殺之。家近彭湖。禁民間網魚。已專其利。衆魚戶皆痛恨入骨。一夜天寒大雪。衆相結爲盜。明火持械。打入某家。盡刼其財。遍覓瘋子不得。執一小鬟。詢之。鬟引衆至一密所。疊石爲山。洞極寬廣。鬟指地曰：「在此下。」地用木板鋪平。惟東角數扇可以啓閉。衆掀開。見數丈之下。有華屋數間。燃各種花燈。明如白晝。古玩書畫。繡幙錦衾。靡不備具。衆由石磴而下。其中煖如初夏。瘋子與衆姬妾。皆裸下體淫褻。衆攢毆之。一盜責之曰：「爾父反面事仇。人品卑下。但數載立朝。頗著清操。今看爾父之面。姑饒爾命。但去爾淫具可也。」乃用刀割其勢。率衆而遁。瘋子昏暈。次日方甦。延醫救治。雖得苟活。竟成閹廢。猶與姬妾同寢。每當淫念發時。嚙姬妾遍體俱瘡。欲熾暴亡。卒至無嗣。

荒淫（二）

明張牧之世爲勳戚。擁貲無算。豪華驕縱。王侯莫比。婢女皆衣錦綉。奴僕俱着綺羅。妻妾服用奢靡。以綾纏足。以帛拭穢。毫不知惜。家有聚景園。春時牡丹盛開。用異錦作五畝之棚。綵絲爲繩。聚姬妾百餘歌飲。名「百花同春會」。每歌一曲。給絹二疋。有客勸之曰：「昔寇萊公身爲宰輔。徵妓侍酒。與綾一疋。識者猶譏其侈。有一曲清歌一束綾。美人猶自意嫌輕。那知織女機窗下。幾度拋梭始得成之句。寇聞之甚悔。明公爵位不及寇公。用度得無太過」牧之大笑曰：「萊公酸子耳。我豈與之比哉。卒不聽。又冬日剪綵爲花。綴於枝間。敝即易去。歲用綵帛。不可勝計。不數年。牧之死。又

遭鼎革。妻。妾。皆破。袴。穿履。向人求尺布。寸絲。不可得◎

荒淫（三）

隋末深州諸葛昂。極行侈縱。嘗謂石崇金谷園。尚有不堪入目處。闢囿十數里。凡海內珍禽異獸。瑤草琪花。靡不充物。其中。日與諸客遊宴。挾妓。徵歌。費用無度。渤海高瓚。廣有貲財。行亦奢靡。聞昂名。特往訪之。瓚穿集翠裘。價值千金。僕皆衣文錦。光彩炫目。見者贊羨。至昂門通名。良久昂方出迎。布袍絲履。十分淡素。而隨侍八僮。盡衣集翠裘。焉。瓚一見自愧。昂爲設具雞豚魚鮓。盤不滿尺。瓚疑其慢。已明日大設。邀昂。烹宰豬羊數十人。扛抬而獻。薄餅長八尺。寬丈餘。裹餡粗如庭柱。以五斗金碗作酒盞。每行酒一巡。自爲金剛舞以送之。昂微笑而已。後日報答。召客數百人。妓數百名。車行酒。馬行炙。方丈金盤盛膾。磑轢蒜虀。唱夜叉歌。獅子舞。自此兩人相與酬謝。務極侈靡。以求爭勝。相傳瓚烹嬰孩以答昂。昂遂蒸愛妾以啖瓚。雖事屬不經。殊未可信。但以好勝之心。爲慘傷之事亦何所不至。昂後遭亂。賊誅求金寶。無可給。縛於椽上炙殺之。瓚與賊通謀。亦全家論斬。

狼藉

宋政和間王黼以諂媚事徽宗。久膺顯爵。攬權納賄。勢傾中外。家口千餘人。皆口厭肥甘。尙方品物。莫能過也。廚房隣相國寺。每日從溝中流出白米香飯。如玉粒珠顆。寺僧省徹。率沙彌輩用竹筐撈起。河中淘淨晒乾。除大衆食用外。積剩十三囤。金人破汴。二帝北狩。王黼誅於貶所。遺毋吳氏。年八十餘。流落京城。無人養贍。沿街求乞。有舊役見而憫之。仍呼爲老太太母曰：「我乞化老婆子。官人佈施數文。稍延殘喘。便是莫大功德。無用尊稱也」。役曰：「相國寺。煮粥濟貧。老太太至彼就食。豈不勝似乞化。」乃偕至寺中。見山門外粘帖上書王府餘糧。煮粥接衆。糧盡即止。僧省徹知是王老夫人。亦不勝嘆息。曰：「此原是太尉口祿。應該老夫人享用。」遂撥房一間。與之居住。每頓隨衆吃粥。一日母盌中飯粒。忽變爲蛆。母懼而傾之。另盛一盌。仍是蛆。尙蠕蠕而動。衆皆驚。省徹曰：「一粒米皆地之精英。農夫汗血。王太尉不知愛惜散棄過多。上天震怒。累及其母。正內典所云。作惡之人。殃緣七祖。是也」。乃命母至佛前懺悔。念佛百聲。始舉箸。即不復變。後母病歿。破衣中蟣虱攢嘬。以敝蓆裹尸埋之。

浪費

有貴公子某。藉勳蔭。極口腹之欲。謂五穀爲無味。與僧聖綱曰：「炊飯須用炭。先煉炭方可爨。不然猶有烟氣。」及大寇陷灃洛。某財產剽盡。乃與聖綱伏林莽中。三日不食。賊稍退。入小店持土杯。食紅籼米飯。覺甚美。僧笑曰：「此非煉炭所炊。」某面赤無對。

貪𢡟被騙（一）

南京守備劉瑯。鎭陝西。歸貲積無比。復於私地建眞君祠。日講爐火。方士知瑯有玉絛環。價值百鎰。紿令獻神祈福。遂併丹鼎竊去。有人夜題其門曰：「堆金積玉已如山。還向仙家學煉丹。金鼎未成拋白璧。眞君原也愛絛環。」瑯慚憤而死。

貪𢡟被騙（二）

文奇蜀人挾燒煉之術。諸貴悉爲所欺。富商李十五積貲累萬。惑奇之術三年掃地。遂至自經。奇復在劍州僦一屋煉藥。火發延燒奇倉皇走避。迷入林中。爲鷙獸逐出。深入溪谷。復爲鷙獸逐出。竟死于燒藥之所。

貪惏被騙（三）

松江潘監生家頗富而意猶未滿。酷好丹術。偶住西湖。見隔。舟二客。携一殊色女子。歌吹歡宴。席間器皿黃白燦然。訪之乃中州富人挈妾遊湖也。潘大驚羨。即投刺通謁。道及相慕豪富之意。客曰：『吾有九還丹。可以點鉛汞爲金。此丹既成。黃金與瓦礫同耳。何足貴哉。』潘喜遇眞術。且悅其妾之色也。懇客攜眷至松館之別莊。極意款洽。復以金釧綵幣贈其妾。次日出二千金授客入爐。約至九九日數後則丹成。甫及兩旬。忽一人孝服奔至。對客曰：「老主母去世。主人可速歸。」客驚慟。謂潘曰：「丹事未畢。遽遭大故。顧彼失此。於心不安。小妾頗知爐火。須留此守視。吾不日自來啓爐。切不可觸犯。倘有所悞。悔之無及。」潘喜諾。客既去。潘慾動不能禁。遂與其妾通焉。情好正密。而閽者已報客至。方入。即變色沉吟曰：「丹房氣色殊不佳。何也。」啓爐視之。乃頓足失色曰：「丹果敗矣。可惜二千金俱成糟粕。此必有爲交媾之事觸之者。」訊其妾。具以實告。客怒甚。欲寘妾死地。潘惶懼服罪。更出三百金求免。客始束裝大罵而去。潘猶不知其詐也。自悔以不愼致敗。後每遇丹士。即延之至家。誑去丹本不下數千金。從此家遂窘。遂出遊。遍訪丹士。冀一遇舊識者。索償故物。一日遇方外數輩。乃舊識也。

迎謂曰：『向日有辜盛德。今幸山東一大姓。尋吾輩燒丹。已成約。專待吾師來便可舉事。足下若能權認作吾師。則取償所失。如反掌耳。』許之。問其師作何狀。曰：『頭陀也。』乃即剪髮作頭陀。同至大姓家。不數日其黨盜爐而遁。止留頭陀一人。大姓欲縛之官。潘哭吐其實。始釋歸。貲斧已盡。沿途乞食至臨清。見一貴子挾妓舟中。其妓貌頗相稔。少頃。妓褰簾問曰：『君非松江潘某乎。妾即曩時丹客妾也。』潘驚問客安在。妓曰：『君夢尚未醒耶。妾本汴中妓家。受人之託。設此誑局。有負於君。君何流落至此。』潘大慟。爲備述前事。妓曰：『妾與君不能無情。當贈君以歸貲。此後若遇丹士。萬勿聽信。是即妾報君數宵之愛也。』言畢。出白金三兩贈之。潘得金。踉蹌而歸。親友見其狀。無不掩口笑者。

悖入悖出（一）

冒起宗曰：予每見權貴之門。暴富之室。不肖子孫。淫蕩恣靡。或身未死。產已暗鬻他家。或肉未寒。人已裂據其家。前人一銖一寸而積之。後人如泥如沙而棄之。彼不肖者。又大半皆聰明人也。此何以故。蓋由當日逞威挾智。逼勒牢籠。以成巨富。始而耗人。終爲人耗。語云。來得不明。去得正好。正謂此也。

悖入悖出（二）

越中潘小橋。以不義起家。廣買田宅。自誇豪傑。傲慢之態。見者難堪。生一子。飲博淫蕩。不數載。掃盡無遺。

不恤人力

學士錢福。家本素豐。歸里營第。有一夫不任役。將懲治焉。夫告曰：

「小人病矣。昔黃提刑營第。吾少時受役傷膂。今其第已成墟垣頹屋敗。而我之膂痛尚未已也。又不即死。茲役之不力。何敢辭罪」學士赧而謝之。噫。昔之有財力者。今皆安在。徒爲後人作話柄耳。若肯少留餘地。豈不受用無窮乎。

清 陳鏡伊編

道德叢書 之十四

賑務先例

上篇 善例五十三則
下篇 惡例七則

世界書局

道德叢書之十四

賬務先例

君毅

賑務先例 道德叢書之十四

江蘇海門陳鏡伊編

目錄

上篇 善例

緒論

解金勸賑　捐俸勸賑 三則

推俸作則　勸捐發糶

（三）乞賑

上疏乞賑 二則　乞貸耕具

（四）發賑

權宜發賑 六則

（五）工賑

興工代賑　以工代賑 四則

（六）平糶

勸富平糶　減價惠貧

半價糶米　收米平糶
出廩平糶　疏通米糧

（七）施粥

設廠施粥　出米施粥
捐米施粥　三則

（八）收容

收容災民　二則　災民病院

（九）育嬰

勸收災嬰　二則　收養災嬰

（十）助賑

賣田賑濟　鬻產行賑
毀家助賑　售屋助賑
助賑度親　減食施賑 六則
忍飢救人　儲金救荒

下篇　惡例

匿災不報 四則　遏賑滅家
遏賑慘報　浮冒吞賑

賑務先例

道德叢書之十四

江蘇海門陳鏡伊編

上篇　善例

緒論

飢荒之際。民命待生者。少則以數萬計。多則數十百萬。須臾之間。生不生判焉。有財者能傾貲助賑。無財者能設法勸捐。斯眞莫大陰功。莫大經濟。古來如李悝之平糶。耿壽昌之常平。長孫平之義倉。朱文公之社倉。是能備荒者也。他若汲長孺矯詔發粟。員半千勸令開倉。陳堯佐在杭減價而糶。於壽州出米爲糜。以身率先。范文正在浙。興營造以濟衆。張忠定知杭州。暫寬鹽禁。范純仁於慶州。不俟朝旨而發粟。吳遵路在通州。易薪芻以濟民。富鄭公青州救飢。洪忠宣秀州留粟。丁清惠用米易布捐資廣賑。均能竭力盡心。曲全民命於無算者。故皆百世流傳。馨香勿替

救荒方法

明僉事林希元疏云。救荒有二難。曰「得人難。審戶難」有三便。曰「極貧民便賑米。次貧民便賑錢。稍貧民便賑貸」有六急。曰「垂死貧民急饘粥。疾病貧民急醫藥。病起貧民急湯米。既死貧民急埋瘞。遺棄小兒急收養。輕重繫囚急寬恤」有三權。曰「借官錢以糴糶。興工作以助賑。貸牛種以通變」有六禁。曰「禁侵漁。禁攘盜。禁遏糴。禁抑價。禁宰牛。禁度僧」有三戒。曰「戒遲緩。戒拘文。戒遣使」

（二）查災

查災妙法（一）

宋蘇次參澧州賑濟。患抄劄不公。給印册一本。用紙半幅。令各自書某家口數若干。大人若干。小兒若干。合請米若干。實貼於各人門首壁上。如有虛僞。許人告首。甘伏斷罪。以便委官查點。又患請米者宂。分定幾人爲一隊。逐隊俱用旗引。如卯時一刻。引第一隊領米。二時引第二隊。以至辰巳時皆用此法。則自無宂雜。且老幼婦女悉得均糴矣。

查災妙法（二）

又蘇次在安鄉縣任時。正値大澇。始至。令典押將縣圖。逐鄉抹出全澇者用綠半澇者用青無水之鄉用黃不以示人又令鄉司抹來參合方請鄉耆逐鄉爲圖復以青綠黃色別其村分出圖參驗故不檢澇而可知分數催科賑濟亦視此爲先後其法甚簡要也

(二) 勸賑

解金勸賑

趙閱道知越州歲大歉公召州之富民勸誘以賑濟之義卽自解腰間金帶置庭下於是施者雲集全活十萬人

捐俸勸賑 (一)

黃香爲魏郡太守時被水年饑乃分俸祿及所得賞賜班贍貧者于是豐富之家出穀助貸荒民獲全子瓊封侯

捐俸勸賑（二）

河南按察使張孟球居官廉潔。遇年荒。自食菜粥。嘆曰：「百姓饑饉。吾當與百姓共苦。安忍食厚味耶。」因出己俸。並夫人衣飾。糴米賑饑。於是富戶爭相賚賑。全活無算。生五子。皆登科。

捐俸勸賑（三）

趙壹爲平原守。時多盜。乃與諸郡討捕。斬其渠帥。餘悉赦之。青州大蝗。侵平原。荒甚。乃出俸賑之。勸富民出穀濟飢。所活萬計。官太傅。封侯世爵。

推俸作則

張綸除江淮制置發運副使。見漕卒凍餒死者衆。嘆曰：「此有司之過。非所以體上仁也。」推俸錢。市布絮襦千數。衣其不能自存

者（宋史）

勸捐發糴

韓魏公琦爲益州路安撫適歲大饑民無救處魏公於是勸捐發糴開倉種種拯濟饑民賴以活者一百九十餘萬及鎮河北又大饑公勸賑備給如前濟活者七百餘萬公之惠政滿天下而握兵以服叛爲心子孫世代貴顯

（三）乞賑

上疏乞賑（一）

崑山徐在川爲刑部公申之子長於文學虔山嚴文靖公訥延爲西賓先是倭寇猖獗凡江浙瀕海地皆被兵燹民不聊生至嘉靖

三十四年乙卯蘇松四郡皆荒流民載道撫藩大臣以時值用兵莫敢上達而嚴公適以宮詹在家在川勸其爲民請命公猶豫未決即代爲草疏滔滔數千言情詞愷摯袖之以哀懇於嚴嚴欲決於神卜之瞽者在川乃焚香告天以求必濟而又密賂卜者以金占得升卦天然協吉以爲此疏一達不惟萬民受福抑且祿位高遠嚴公大喜毅然達之果蒙俞允盡蠲江南全省賦凡漕糧之已入廒者皆令民如數領歸歡聲溢於道路未幾嚴即被召後登相位而在川公及身爲交河令多政績長子應聘爲太僕公太僕公之曾孫乾學秉義元文爲同胞三鼎甲司寇乾學公生五子曰樹穀曰炯曰樹敏曰樹屏曰駿俱名進士時稱五子登科最幼者詞林諸孫出仕者甚多極科名之盛

上疏乞賑（二）

萬歷間。秀水姚思仁巡按山東河南等處。嚴刑拷死者衆。一日被攝至冥。羣鬼向伊索命。冥王詰之。姚曰：「某爲天子執法耳」。王曰：「法必當罪。尚有哀矜勿喜之心。汝居心刻毒。羣鬼有無罪者。有罪輕不應死者。汝一類拷死。輕視人命。何說之辭」。因判入地獄。卽有惡鬼擒拿。姚復稟曰：「某固知罪。但前兩省飢荒。某上疏乞賑。所活甚衆。獨不能相準乎」。王復檢簿。謂曰：「此爾幕客賀燦然特作疏稿。力勸爾上者也。已註其中年大富貴矣。爾原無此心。何可冒認」。姚曰：「稿雖賀作。疏由我上。獨不能分其半乎」。王笑。依其言。命放還陽。因得復生。賀燦然亦秀水人。四十成進士。仕至禮部尚書。觀此則是人生只患無善功。苟有善功。冥府皆准

自陳彼姚某幸得行此一事不然則墮獄轉畜有所不免嗟嗟生爲巡按死轉異類寧不悲乎

乞貸耕具

王僕射初爲譙幕因按逃田見歲饑而流亡者數千家乃力謀安之上疏論列乞貸以耕具牛種朝廷皆從之一夕次蒙城驛夢空中有紫綬象簡者以一綠衣童子送之曰「汝本無子上帝嘉汝有愛民深心特以此爲宰相子」後果生一男官至宰相

(四)發賑

權宜發賑(一)

漢韓詔爲嬴長泰山賊相戒不入嬴境餘縣多被寇廢耕桑流入

縣界求衣粮者甚衆。詔開倉賑之。所廪贍萬餘戶。主者爭謂不可。詔曰「長活溝壑之人而以此伏罪。含笑入地矣」太守知詔名德。竟無所坐。民人爲立碑頌焉。

權宜發賑（二）

後魏李元忠爲光州刺史。時州境災歉。人皆菜色。元忠表求賑貸。至秋徵收。被報聽用萬石。元忠以爲萬石給人。計一家不過升斗耳。徒有虛名。不救其敝。遂出十五萬石賑之。事訖表陳。朝廷嘉之。

權宜發賑（三）

范純仁知慶州。餓殍載路。官無穀以賑。公欲發常平封貯粟麥賑之。州郡官皆不欲。曰「常平擅支。獲罪不赦」公曰「環慶一路生靈。付某。豈可坐視其死而不救」衆皆曰「須奏請得旨可也公曰：「人七日不食即死，豈能待乎？諸公但勿預，吾獨坐罪耳。」或謗其所活不實，詔遣使按之。時秋大稔，民讙曰：「公實活我等，忍累公耶？」萬民敬公之德，感公之惠，即晝夜輸納常平，迨按使至，已無所負矣。或問范忠宣擅支常平為救荒也，衆何故以為不可？潘麟長曰：「無他，保官情重，故坐視人之死而不救，非有所憎惡於環慶生靈也。忠宣獨任其罪而不欲衆預，眞刀鋸鼎鑊是甘之念。卒之民不公累而輸納無違，感報甚速，舉此一端，足以見公之生平功業。其為天下人皆敬之，蓋可知矣。」

權宜發賑（四）

王克敬除江浙行省都事。鄱陽大饑，總管王都中出廩粟賑之。行省欲罪其擅發，克敬曰：「鄱陽距此千里，比得命，民且死，彼為仁

而吾屬顧爲不仁乎。」都中因得免。元史

權宜發賑（五）

江於九太守名恂署亳州地方陡遭水災報憲不候批示開庫出錢買麪親覓小舟不畏風雨赴鄉散民麪餅所活民命無算子德量中庚子榜眼官侍御司民牧者勉之。

權宜發賑（六）

飢民命在旦夕非權宜從事曷克有濟昔汲黯矯詔開賑范仲淹縱民競渡范堯夫發常平封樁粟麥不待報韓文預支官軍俸糧不待命皆能便宜從事有地方之責者仿其意而行之蒼生幸甚

（五）工賑

興工代賑

宋皇祐二年。吳中大饑。時范文正仲淹領浙西。發粟及募民存餉。爲術甚備。吳人喜競渡。好爲佛事。仲淹乃縱民競渡。又召諸佛寺主守諭之曰：『饑歲工價至賤。可以大興土木』。於是諸寺工作並興。又新倉廒吏舍。日役千夫。監司劾奏杭州不恤荒政。遊宴興作。傷財勞民。公乃條奏所以如此。正欲發有餘之財。以惠民。使工役傭力之人。皆得仰食於公私。不致轉徙溝壑耳。是歲惟杭饑而不害。

以工代賑（一）

明萬歷閒。御史鍾化民救荒。令各府州縣查勘該動工作。如修學修城。濬河築隄之類。計工招募。以興工作。每人日給米三升。借急

需之工養枵腹之衆公私兩利

以工代賑（二）

金華張安仁積穀數千石歲大飢或勸之糶可得重價張曰『吾豈圖名者耶』乃盡出所積豈圖利者耶』或勸之施張曰『吾豈圖名者耶』乃盡出所積僱人修路一百八十里築隄防四十里邑人爭受役得飯食工錢養其身兼養其家而路與隄又成百世公利自古行善者無此勝算也公享壽九十有三子孫科第不絕此事富家最宜學之

以工代賑（三）

邵靈甫積穀數千石歲飢或勸之糶曰『是弋利也』勸之賑曰『是好名也』乃為贍貧之計而又思澤及將來盡發所積厚值雇傭除道四十里以便往來浚河渠八十餘里以溉田畝凡赴工

者各聽其就近自占。由。是。飢。民。既。免。奔。波。而。水。陸。又。均。受。其。利。邵壽九十餘。子孫相繼登第。

以工代賑（五）

窮民無事。衣食弗得。法綱在所不計矣。故盜賊蜂起。富室先遭荼毒。而。餓。莩。亦。喪。殘。生。爲害可勝言哉。勸富民治塘修堰。飢。者。得。食。富。室。無。虞。保。富。安。貧。之。道。莫。過。於。此。

（六）平糶

勸富平糶

明宣德閒。山西河南荒。命于謙巡撫二省。公到任。即立木牌於院門。一書求通民情。一書願聞利敝。二省里老皆遠來迎公。公曰「

吾欲首行平糶之法。汝衆里老。可將吾言勸諭富豪之家。將所積米穀。扣其本家食用之外。餘者皆要糶與飢民。若仗義者每石肯減價二錢。減至一百石以上者。免其數年差役。一二千以上者。奏請建坊旌表。有不願者亦勿强。若有姦民擅富要利。坐視饑民不與平糶者。里人具稟以呈。重罰不恕。凡有借欠私債。一槪年豐還納。」

減價惠貧

宋哲宗元祐三年冬。頻雪凍死者無算。呂公著爲相。日與同列議所以救禦之術。乃發官米官炭。遣官分場賤賣。以惠貧民。貧病之人。日給醫藥饘粥。又不時委官看問。以故多得全活　康濟錄

半價糶米

桐城大學士張英張廷玉父子中堂。忠孝厚德。其先五世祖某公仁慈好施。遇歲荒。以米萬石。半價盡糶於鄉里。心甚喜曰：「荒年半價。乃豐年全價。無損於我。有益於人。實爲心慰。」仍捐萬金設粥濟貧。如是三次。後家無餘蓄。即將田屋衣物賣銀買米以救餓者。後遇化齋異人指葬地。子孫貴顯不絕。

收米平糶

張詠知益州。日嘗夜夢詣紫府。眞君降階接之。禮甚恭。繼請西門黃承事揖張益州坐黃承事之下。夢覺。莫知所謂。問左右。西門有黃承事否。令具常服見。既至。果如夢中見者。再三問平生有何陰德。承事云：「無他。惟每歲收成時。隨意出錢收米。至來年新陳未接之際。糶與細民。價例不增。」張公嘆曰：「此宜居我上也。」使兩吏掖之而拜。此每歲平糶之見重於神也。

出廩平糶

陳天福茶陵人。歲凶。出廩平糶。貧不能糴則與米。無米則與飯。無飯則與錢。鄉里甚德之。一日有道人以錢買米。天福施之。米還其錢。道人題詩於壁上。『遠近皆稱陳長者。典錢糴米來施捨。他年貴子共蘭孫。平步玉堂與金馬。』陳後巨富。起財濟倉平糶濟人。生三子皆登第。

疏通米粮

宋熙甯中。趙抃知越州。兩浙旱蝗。米價踴貴。諸州皆榜道路。禁人增米價。人多餓死。抃獨榜通衢。令有米者任昂價糶之。於是諸州米商輻輳。米價更賤。而民無餓者。

（七）施粥

設廠施粥

祝染延平人。性極慈祥。見人之急。無不竭力周濟。遇歲荒。捐貲設廠施粥。全活甚衆。晚年生一子。甚聰慧。試舉日。鄰人有夢報狀元者。鳴鑼鼓吹手持大旗。上書『濟急之報』。及榜發。果染之子也。

出米施粥

宋陳堯佐知壽州。歲大饑。公自出米爲糜。以食餓者。吏民以公故。皆爭出米。活數萬人。公曰『我豈以是爲私惠哉。蓋以令率人。不若身先而使其樂從也』。後以太子太師致仕。壽八十二。

捐米施粥（一）

杭州薦橋仇鳴盛。六旬無子。辛未歲飢。自捐施粥廠米五十石。後連生三子。壽八十五。

捐米施粥（二）

蘇州虹橋寡婦崔施氏。因哭子雙瞽。丙子年。捐施粥廠米二十四石。一日晨興。念觀世音聖號。忽見觀世音大士法身現雲端。二目復朗。壽至七十九歲甚健。

捐米施粥（三）

蘇城長洲學前馬鶴林。辛未曾助粥米十六石。助後三日往淮安。寓湖嘴子蔣家飯店。至夜半。腹疼下樓大解。忽聽轟然一聲。樓上牆倒。衆人攜燭往視。馬之臥牀。已壓碎矣。馬此後一心力善。享壽八十二。子孫滿堂。

（八）收容

收容災民（一）

富弼知青州時。河朔大水。飢民流入境內。公勸民出粟十餘萬斛。隨處貯之。以濟餓者。又括公私閒舍十餘萬區。散處其人。使便薪水。飲食醫藥。纖悉皆備。山林河泊之利。有可取以爲生者。聽流民取之。主不得禁。全活者五十餘萬。帝聞之。遣使勞弼。拜爲禮部侍郎。位至宰相。封鄭國公。壽八十。謚文忠。

收容災民（二）

滕元發知鄆州。聞淮南京東大飢。慮逃荒來者。流殍日聚。蒸爲癘疫。乃預度城外各處空地。勸富室出力。爲蓆室凡二千五百間。爨器。咸。具。旅。至。如。歸。幷勸募得米。挨家計口日給。計。活。五。萬。餘。人。仕至大學士。子孫科第不絕。

災民病院

趙抃知越州。値大饑。多方救濟。及春人多病疫。乃作坊以處疾病之人。募誠實僧人分散各坊。早晚視其醫藥飲食。無令失時。以故人多得活。

（九）育嬰

勸收災嬰（一）

宋劉彝所至多善政。其知虔州也。會江西饑歉。民多棄子於道上。彝揭榜通衢。召人收養。日給廣惠倉米二升。每月一次抱至署中

看視又推行於縣鎮細民利二升之給皆爲字養故一境生子無天札者

勸收災嬰（二）

棄夢得云「予在許昌歲大水流殍無數奏發常平粟賑濟十餘萬人惟遺棄小兒無法救之偶問左右無子者何不收養曰「願子者固有頗患歲豐及長而父母來認耳」因爲設法凡因災傷遺棄小兒父母不得復子當其棄置時恩義已絕收之爲恩更多遂作空券數千印給內外凡得兒者自言所從來明於券略爲籍記使以時上數收多者賞且分常平餘粟量給貧者爲貲事定稽券凡三千八百人此亦臨民者所當知也」又云「兵興以來有伏匿林莽者多因兒啼聞聲遂得其處不免被害於是避賊者舉

棄嬰兒不顧。有教爲綿毬。置兒口中。略使滿口而不閉氣。少蓄甘草汁。時量水漬。使咀其味。兒口中有此。自不作啼。綿軟又不傷口。因鏤板以揭道上。己酉冬。賊自江西犯饒信。居民避賊去而嬰兒得全活者甚多。此又遇變者所當知也」遺棄嬰兒。不獨災傷時有之。卽太平豐年亦然。蓋貧家不能舉子。多置道旁。或厭兒女繁者。甘心棄置。甚有私胎分娩者。溺死盆中。其爲慘毒更甚。

收養災嬰（一）

黃震提舉常平倉。初常平有慈幼局。爲貧而棄子者設。久而名存實亡。震謂收哺於既棄之後。不若先其未棄保全之。乃損益舊法。凡當娩而貧者。許里胥請於官贍之。棄者許人收養。官出粟給所收家。成活者衆。宋史宋史食貨志振恤條。載孤貧小兒可教者。令入小學聽讀。其衣襴於常平頭子錢內給造。遺棄小兒。聽人乳養。仍聽宮觀寺院養爲童行。宋於幼幼之道。規制周悉。黃文潔更爲酌定。益詳密矣。

收養災嬰（二）

明于忠肅謙巡撫山西河南。勸民曰。「若有遺棄子女。里老可即報與州縣。著官設法收養。候歲熟。訪其母而還之。如里內有賢良之民。能收養四五口者。官犒以羊酒。賞以匾額。十口以上者。加綵緞。免其終身差役。二十口以上者。冠帶榮身。」一時富民樂捐而尙義者甚衆。

收養災嬰（三）

明嘉靖十年。奏准陜西災傷太重。遺棄子女。州縣官設法收養。如民家有能自收養至二十口以上者。給與冠帶。

收養災嬰（四）

明文宗太和六年詔曰：「天下有家長者死。所餘孩稺在襁褓者不能自活。必至夭傷。長吏令其近親收養。仍官中給兩月糧。亦具都數開奏。」

（十）助賑

賣田賑濟

宋眉山蘇仲杲輕財好施。每救人之急。値歲凶。賣田賑濟。至秋豐熟。人償之多不受。祖業已盡。未嘗少悔。一異人嘗謂曰：「吾有二穴。一富一貴。惟君所擇。」仲杲曰：「吾願子孫讀書。不願富。」因同往眉山指示其處。命取一燈然于地。遇風不滅。仲杲遂以葬母。後生子洵孫軾轍名顯天下。仕至尚書。

鬻產行賑

唐蕭復爲太子僕射。廣德中。連歲不稔。穀價騰貴。家貧。將鬻昭應別業行賑。時宰相王縉聞其中林泉之美。使弟紘致辭。若以別業見貽。當處足下於要地。復對曰：「僕以家貧鬻業。將拯救孀幼耳。儻以易美職於身。令無告者凍餒。非鄙夫之心也。」

毀家助賑

元張養浩爲陝西行臺中丞。時關中大旱。饑民相食。公拜命之日。即散其家之所有。與鄰里貧乏者。道遇飢者。即賑之。死者則葬之。到官六月。未嘗家居。止宿公署。夜則禱於天。晝則出賑飢民。終日

無少怠。元史

售屋助賑

蘇城桃花塢潘敦仁療疾數年。臥牀待斃。自思身後要錢何用。不如及早濟人。時值辛未大荒。售屋八間。捐施粥廠米六十石。忽有異人自言能治其疾。請診之。卽開一方。一服而愈。

助賑度親

蘇城南濠李文壁父故。廣修齋醮。一夕父神憑孫女福全對文壁云「爾在生亦孝我。今當此荒年。有此錢財。何不施濟飢寒。今但延酒肉僧道禮經拜懺。於我毫無益處。若肯施濟飢民。比經懺勝多多也」文壁異而應命。明日卽施饑人每人錢一百二十文。共用七百餘千。其父神又憑福全對文壁云「爾可謂大孝。冥府已加增福壽。我亦往生富貴人家去矣。

減食施賑（一）

漢伏湛爲平原守時。境內大荒。湛謂妻子曰：「百姓困苦極矣。奈何獨享用乃共淸齋。食粗糲不肉食。悉分俸祿。賑鄉里。全活無算。後官至司徒。封侯。子隆爲光祿勳。孫曾皆貴顯。

減食施賑（二）

東吳駱統八歲歸會稽。時饑荒。鄉里及遠方客。多有困乏。統爲之減飲食。其姊仁愛有行。數問其故。統曰：「士大夫糟糠不足。我何心獨飽」。姊曰：「誠如是。何不早告我。而自苦如此。乃自以私蓄盡與統。又以告其母。母亦賢之。遂使分施。由是顯名。

減食施賑（三）

趙汝愚道見病者必收卹之躬爲費藥歲饑旦夕率其家人輟食之半以食餓者　宋史

減食施賑（四）

李廷美妻徐氏有賢行家貧遇凶歲自度不能活人也則命家婦日計費飯用米若干而多費爲粥鄰人飢者來則食之曰「吾曰三粥足以無飢矣而餘力可兼濟人不愈於食飯而獨飽乎」

減食施賑（五）

齊劉善明平原人元嘉末靑州饑荒人相食善明家有積粟躬食饘粥開倉以救鄉里多獲全濟百姓呼其家爲「續命田」

減食施賑（六）

天啓時祥符縣車夫金芳貧而好施遇荒年自喫穅秕豆渣見

飢寒殘疾必施一二文每日推車得錢隨路散去空囊而歸有時雨雪不出常忍飢一二日不怨也年六十四歲遇無心昌老贈吞丹藥髮白復黑齒落重生鄉里皆異之後復遇昌老隨之而去不知所終

忍飢救人

天啓時桐柏觀道士趙紫霞遇歉歲將錢米衣物盡施山下貧苦老幼殘疾自絕食掘莨根剝榆皮療飢致成病而卒舉棺甚輕開視惟留敝衣一襲蒲履一雙屍解而去

儲金救荒

徐孝祥隱居吳江家甚貧忽於後園樹下得白金一甕亟掩之人無知者後二十餘年值大荒孝祥曰『是物當出世耶』乃啓甕日

取數錠糴米以以散貧人全活不勝計銀盡乃已子純夫入翰林

下編　惡例

匿災不報（一）

唐大歷二年秋霖損稼渭南令劉澡獨稱縣苗不損上疑之命御史朱敎往視實損三千餘頃上嘆曰『縣令字民之官不損猶應言損乃慢忽民生如是乎』立貶爲南浦尉卒於道

匿災不報（二）

元至正三年秋興國路永興縣雷擊死糧房貼書尹章於縣治時方大旱有朱書在其背曰『有旱卻言無旱無災卻道有災未庸殲厥渠魁且擊庭前小吏』元史五行志

遏賑滅家

淳熙間。林機爲給事官。其妻乃王少卿之姪女也。是日在母家。早起哭曰：「林氏滅矣。」叔問故。女曰：「適夢朱衣人持天符至。言林機論事害民。敕滅其家。天符猶彷彿在吾目中也。」叔慰以夢不足憑。毋得過慼。早食後。送姪女到林家。問機近日所奏何事。機曰：「蜀郡飢荒。奏請撥米十萬石賑之。上允奏。我以米數太多。蜀道難行。因封還敕旨。請查實而後與。」上諭宰相曰：「蜀郡往返萬里。若待再報。已無及矣。姑與之半去此近日之奏章也。」王愕然。未幾。機病死。二子繼亡。立近親爲嗣。亦死。宗史

遏賑慘報

昔唐中書令楊再思死。其日膳夫亦死。同至冥司。冥司見再思。命

取善惡簿來驗。吏唱其罪曰：「如意年突厥陷瀛檀等州。再思欲先邀功。決水淹沒州郡萬餘人。大足元年。洪水為災。再思不能開倉賑濟。設法救溺。反決鄰近州郡。淹沒居民。百姓流離。餓死以數萬計。如此罪惡。應入無間地獄。生受水族。」唱畢。又問膳夫在生善惡。吏曰：「曾於水畔救一溺人。延壽一紀。宜放回。」膳夫醒。以告人。中宗召問焉。因命列於中書廳上。以為後人警戒。凡有民社者。皆宜共知。

浮冒吞賑

山左李皋言。以知縣分發江蘇。奉委赴山陽縣查賑。至則徧歷村舍。覆實稽考。殊多浮冒。侵漁將據實通稟。已具稿。山陽令王伸漢大懼。使閽人包祥以多金啗李之僕李祥、顧祥、馬陞等。說其主。且許重賄李堅弗從。事甚急。仲漢忽謂包祥曰：「此事期必濟。聽汝輩爲之」包祥遂與李祥等密商於茶內入砒。夜深進之李君毒發顚仆狂吼。尙不即死。李祥等復以腰帶扣頸挂床上。作自縊狀。遂絕。淮安守王轂者。本貪酷吏。有王老虎之號。先以賕事得仲漢金。竟以自縊中惡驗報具詳。返其柩於家。人亦無復疑者。數月後。有李君同學荊翁者。老諸生也。一日於郊外見李君儀從導引前來。遂憑附至家。呼家人具言受害狀。且云「已得請於上帝。憫其淸正強直死於民事。授棲霞城隍神」家人痛哭環聽。啓棺視七孔血痕猶可驗。於是李君之叔士璜赴控京師。事遂上聞。將王轂王仲漢等俱拏解交軍機處會同刑部嚴審。先是仲漢堅不承。一日熬跪倦極。忽乞茶飲。命左右與之。仲漢執茶杯瞪目良久。遂吐

實。王轂亦款服。獄具奏上。李祥發李臯言墓前。淩遲處死。餘皆棄市。

國家圖書館出版品預行編目資料

富室珍言　賑務先例／（清）陳鏡伊編
-- 初版 .-- 臺北市：
世界，2015.08
面；公分．　--（道德叢書；13）

ISBN　978-957-06-0539-6（平裝）
1. 道德　2. 通俗作品

199.08　　104014626

世界書號：A610-2171

道德叢書之十三　十四

富室珍言　賑務先例

作　者／（清）陳鏡伊編
發行人／閻　初
發行者／世界書局股份有限公司
登記證／行政院新聞局局版臺業字第○九三一號
地　址／臺北市重慶南路一段九十九號
電　話／（○二）二三一一—三八三四
傳　真／（○二）二三三一—七九六三
網　址／www.worldbook.com.tw
劃撥帳號／○○○五八四三七　世界書局
出版日期／二○一五年八月初版一刷
定　價／台幣二二○元
道德叢書全套十四冊，定價二四○○元